Marc van den Broek en Tim Dekkers

# Sydney

DOMINICUS
• STEDENGIDSEN •

Eerste druk, 2007

© MMVII Uitgeverij J.H. Gottmer / H.J.W. Becht BV
Postbus 317, 2000 AH Haarlem
E-mail: travel@gottmer.nl
Internet: www.dominicus.info
Uitgeverij J.H. Gottmer/H.J.W. Becht BV is onderdeel van de Gottmer Uitgevers Groep BV

ISBN 978 90 257 4129 7
NUR 518

*Tekst:* Marc van den Broek en Tim Dekkers / Mediabureau Onderste-Boven, Sydney
*Cartografie:* Y.T. Bouma, Leusden
*Omslagfoto's:* Anya van Lit
*Foto's binnenwerk:* Anya van Lit; Marc van den Broek (p. 163); Anna Laerkesen (pp. 51, 52 boven); Tourism Australia (pp. 157 boven, 162, 165)
*Redactionele begeleiding:* Karin Evers
*Vormgeving en zetwerk:* Jos Bruystens, Maastricht
*Lithografie:* Studio Divendal, Haarlem

Alle Gottmer-reisgidsen worden voortdurend geactualiseerd door een team van gespecialiseerde redacteuren en adviseurs.
Natuurlijk kan het ondanks deze zorg voorkomen dat je op reis merkt dat er veranderingen hebben plaatsgevonden die onze redactie niet tijdig bereikt hebben. Wij stellen het op prijs indien je ons informatie over gewijzigde omstandigheden wilt toesturen: daarmee help je ons de volgende herdrukken actueel te houden.

# Inhoud

# Kaarten, plattegronden en kaders

# Woord vooraf

Zijn er nog nieuwe loftuitingen over Sydney te verzinnen? Ontelbare reizigers en auteurs hebben de afgelopen decennia geprobeerd de onweerstaanbare charme van de stad in woorden te vatten. Het blad *National Geographic* was in zijn lyrische karakterschets ongetwijfeld een van de origineelste. 'Wonen in Sydney,' zo schreef het magazine, 'is als uitgaan met een supermodel; je bent er zeker van dat iedereen jaloers op je wordt.'
En zo is het maar net.
Een van de vijf Australiërs woont in de hoofdstad van de deelstaat New South Wales; 4,2 miljoen mensen samengebald op 1700 km², ongeveer de provincie Utrecht. Toch bestaat in Sydney het gevoel van eindeloze vrijheid en ruimte. De fysieke ruimte heeft haar weerslag op de mentale ruimte: de inwoners van Sydney staan bekend om hun relaxte levenshouding. *No worries mate*, is het devies. Oftewel, maak je niet druk. Voeg daar de verlokkingen van het water bij, het mooie weer, de stranden, de veerboten bij de Harbour Bridge en het Opera House, de uitgaansmogelijkheden en de culturele en culinaire hoogstandjes en het is logisch dat Sydney inderdaad onweerstaanbaar is.

Wie als echte Nederlander, en dus met de fiets, de stad vanaf het noorden benadert, voelt de dynamiek van Sydney als geen ander aan. Waar de meeste reizigers na een slopende vlucht verdwaasd en half gebroken op de internationale luchthaven neerploffen, daar beleeft de fietser de aankomst in Sydney als een sensatie. Vertrek in de stad Newcastle, 160 km boven Sydney. Links begeleidt de oceaan de reiziger, voor en achter ontvouwen zich mooie wouden, diep doorsneden met baaien die vaak een oversteek met een veerboot noodzakelijk maken.
Na het zoveelste boottochtje dient de stad zich aan. De luxe wijk Palm Beach, waar alle huizen nog uitzicht hebben op oceaan of baai, is een rustige kennismaking met de stad. Daarna begint de worsteling met de *big city*, met zijn chaotische verkeer, drukte, soms lelijke bebouwing en smakeloze winkelcentra.
In de noordelijke wijk Manly is die worsteling voorbij. Daar wacht de laatste veerboot naar het centrum; volgens velen de mooiste overtocht ter wereld. Het is een minicruise door de haven van Sydney, waar zelfs wel eens een walvis komt kijken hoe het gaat. De blik is strak naar het oosten. Hoogbouw dient zich aan. De Sydney Tower trekt als eerste de aandacht, evenals de wat ongeïnspireerde wolkenkrabbers in het zakendistrict. Dan komt de Sydney Harbour Bridge in beeld, een stalen gevaarte met enorme torens die het centrum met het noorden verbindt. De fraaie boogbrug is niet oud, maar in een stad waar bijna niets oud is, is 75 jaar een respectabele leeftijd. Vlak voor de brug glijdt de veerboot naar links. Het hoogtepunt nadert: het Opera House met zijn witte dak van gebolde zeilen aan de rand van de haven, klaar om weg te zeilen. Ruim dertig jaar oud pas en toch al zo bekend.
De reiziger is er: Sydney, Circular Quay. Alles wat Sydney Sydney maakt, balt zich hier samen. Je voelt: dit is een stad om intens van te genieten. Wie kan ontkennen dat Sydney een feest is?

*Marc van den Broek en Tim Dekkers*
Najaar 2006

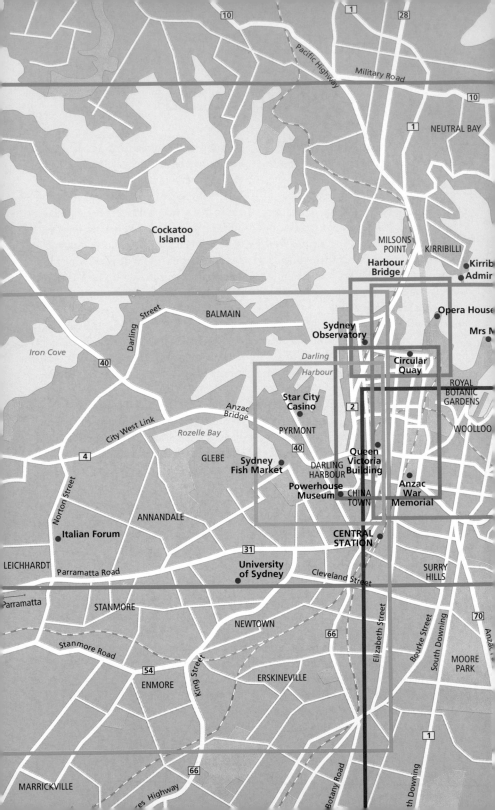

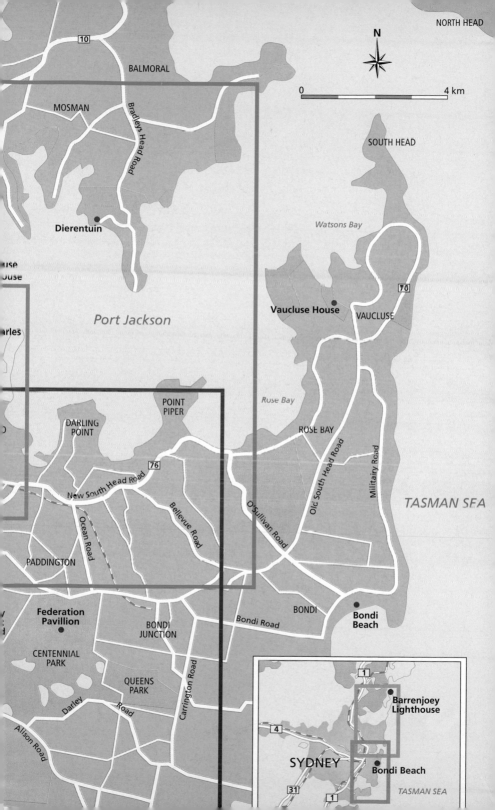

# 1

# De jongste wereldstad

Wie geïnteresseerd is in stoffige opgravingen en 1000 jaar oude brokstukken, heeft in Sydney niets te zoeken. De oudste stenen dateren uit het begin van de 19de eeuw: de restanten van een van de eerste kolonistenhuizen. Niet dat er geen verder verleden is: 50.000 jaar geleden leefden hier de Aborigines (□ pp. 44-45), de oorspronkelijke bewoners van Australië. 'Aborigine' komt uit het Latijn en betekent 'de eerste'; de in Nederland veel gebruikte aanduiding 'Aboriginal' is als zelfstandig naamwoord onjuist. Historici denken dat de Aborigines met boten van de oostelijke Indonesische eilanden en Nieuw-Guinea naar het noorden van Australië overstaken.

Sydney was toen een gebied met een ondoordringbaar bos en moerassen, voortdurend bestookt door de golven van de Stille Oceaan. Omdat de Aborigines nauwelijks vaste nederzettingen bouwden, zijn er praktisch geen stenen overblijfselen terug te vinden.

De plek van het huidige Sydney werd in 1770 voor het eerst door Europese bezoekers bezocht. De Engelse marineofficier James Cook was in 1768 door de Royal Society op pad gestuurd om op Tahiti de passage van de planeet Venus voor de zon waar te nemen. Cook had verder opdracht gekregen om op zoek te gaan naar het 'Zuidland'. In Europa geloofden handelsmaatschappijen in het bestaan van een *Terra Australis Incognita*, een geheimzinnige zuidelijke landmassa met grote rijkdommen die bevolkt zou zijn door bijzondere beesten.

De Nederlandse zeevaarder Willem Janszoon, schipper van het voc-schip *Duyfken*,

▲ Het historische Queen Victoria Building in het zakencentrum van Sydney
◀ De twee beeldmerken van Sydney bij elkaar: Opera House en Harbour Bridge

was al in 1606 per ongeluk op dit geheimzinnige land gestuit. Janszoon dacht dat hij een onbekend deel van de zuidkust van Nieuw-Guinea bezocht. Hij was de eerste die dit onbekende land in kaart bracht. Achteraf weten we dat hij voet aan land zette op wat nu Queensland heet. Kapitein Cook vertrok in 1768 uit Plymouth met het schip de *Endeavour*, een 32 m lang kolenschip. Aan boord was ook een groep wetenschappers, onder wie de plantkundige Joseph Banks en de kunstenaar Sydney Parkinson. Cook bezocht eerst volgens plan Tahiti, vervolgens werd de kust van Nieuw-Zeeland uitvoerig in kaart gebracht.

## RUG VAN EEN MAGERE KOE

Op 19 april 1770 zag een van Cooks officieren nieuw, onbekend land: Cape Everard in de huidige deelstaat Victoria. Na het groene en weelderige landschap van Tahiti en Nieuw-Zeeland vond Cook het nieuwe land maar dor en droog. 'In mijn fantasie,' schreef Cook in zijn reisverslag, 'deed het denken aan de rug van een magere koe. Weliswaar over het algemeen bedekt met lang haar, maar volkomen kaal daar waar haar knobbelige heupbeenderen verder uitstaken dan ze zouden moeten, en waar een toevallig stoten en wrijven die volkomen van begroeiing had ontbloot.' De *Endeavour* zeilde verder langs de oostkust van Australië. Op 22 april zagen de Britten vreemde mensen op een strand. Het was tijd om aan land te gaan. Isaac Smith, een jonge officier in opleiding, ging als eerste, zij het aarzelend. Hij sprong in het groene water en liep naar het hagelwitte strand. De kolonisatie was begonnen. De oorspronkelijke bewoners reageerden volgens de overleveringen agressief. Kralen en spijkers die in de Stille Zuidzee hun verzoenend werk hadden gedaan, misten hier hun uitwerking. De krijgers op het strand gooiden met stenen. Op

de eerste dag van contact moest het pistool eraan te pas komen. Na drie schoten vluchtten de meeste Aborigines het bos in. Cook zou een van hen hebben verwond. In zijn dagboek was Cook opvallend positief over de Aborigines met hun primitieve leefgewoonten. 'Ze mogen sommigen dan de miserabelste mensen op aarde toeschijnen,' schreef hij, 'maar in werkelijkheid zijn ze veel gelukkiger dan wij Europeanen, aangezien niet alleen overvloed, maar ook al die onontbeerlijke gemakken, waarnaar in Europa zo zeer wordt gestreefd, hun volkomen onbekend zijn. Ze leven in een serene rust die niet verstoord wordt door ongelijkheid van omstandigheden.'

Niet alleen de oorspronkelijke bewoners verbaasden Cook, ook de natuur. Volgens de verhalen zou de gezagvoerder van de *Endeavour* stomverbaasd zijn geweest over de honderden en honderden kolossale pijlstaartroggen die in het ondiepe water zwommen. De vissen waren een makkelijke prooi en dus een smakelijke maaltijd voor de bemanning. Het kostte wel moeite om de reuzenpijlstaartroggen aan boord te krijgen; de grootste woog wel 200 kilo.

Voor botanist Joseph Banks was de baai een 'wetenschappelijke triomf'. De ene na de andere onbekende plantensoort werd ontdekt en beschreven. Geen wonder dat kapitein Cook zijn landingsplek Botany Bay noemde. Een naam die nog altijd bestaat. Een stenen gedenkplaat op de rotsen geeft aan waar Cook en zijn mannen voor het eerst voet aan wal zetten.

## GEVANGENEN

De *Endeavour* bleef een week voor anker liggen in Botany Bay. Eenmaal terug in Groot-Brittannië deden Cook en zijn wetenschappers enthousiast verslag van hun reis. Banks hield in het Britse parlement een pleidooi om bij Botany Bay een Britse

# SPORTGEK

Sydney, of beter gezegd: heel Australië, is gek van sport. De Australiërs snakken ernaar om door de rest van de wereld serieus genomen te worden en hebben daarom een ongekende profileringsdrang. Ze willen in alle sporten uitblinken. En vaak met succes. De Australiërs winnen op de Olympische Spelen steevast meer medailles dan de Nederlanders, ondanks het ongeveer gelijke inwonersaantal.

Met zwemmen, rugby, cricket, wielrennen en hockey spelen de Australiërs een hoofdrol. En sinds het Australisch voetbalelftal onder leiding van de Nederlandse coach Guus Hiddink in 2006 successen boekte op het wereldkampioenschap in Duitsland, tellen de Australiërs ook mee in de populairste sport ter wereld: voetbal. Het nationale elftal haalde op het WK verrassend de tweede ronde. De deceptie in stad en land was groot toen het elftal na een ten onrechte toegekende strafschop in de laatste minuut van de wedstrijd tegen Italië werd uitgeschakeld.

De Australische nationale sportteams zijn in eigen land razend populair en hebben allemaal bijnamen. Zo heet het nationale voetbalteam 'de Socceroos' en het vrouwenhockeyteam 'de Hockeyroos'. Uniek voor Australië en voor Sydney is het *Aussie Rules Football*, een combinatie van voetbal, rugby en handbal dat nergens anders ter wereld wordt gespeeld.

Het populairst is deze sport in de omgeving van Melbourne, maar Sydney heeft ook een team in de hoogste klasse, de Sydney Swans. De Swans spelen in het Aussie Stadium bij het Moore Park, op loopafstand van Centennial Park. Naast dat stadion is de Sydney Cricket Ground, waar deze voor veel Nederlanders zo saaie sport wordt bedreven. Verder zijn er nog twee soorten rugby die de Sydneysiders in vervoering kunnen brengen.

Maar de sportgekte beperkt zich niet tot het plaatsnemen op de tribunes in het stadion. De jaarlijkse trimloop City to Surf van het centrum naar het strand van Bondi (in augustus) trekt iedere keer meer dan 50.000 deelnemers en is een van de grootste lopen ter wereld. De zwembaden zijn vol, op het strand verzamelen zich 's zomers elke zondag honderden zwemmers voor een wedstrijd in zee en door het Centennial Park racen voortdurend snelle wielrenners rond en werken de joggers zich in het zweet.

*Footy, het typische Australische voetbal, is een mix van rugby en voetbal.*

*Borstbeeld van Arthur Phillip, de eerste gouverneur van New South Wales, voor het Museum van Contemporary Art*

slagen overtuigden hen dat Botany Bay een geschikte plek was om gevangenen te dumpen, in ieder geval geschikter dan Nieuw-Zeeland met de agressieve Maori-bevolking. Het duurde niettemin een kleine twintig jaar, voordat de Britten opnieuw richting Australië voeren. Omdat kapitein James Cook in 1779 op Hawaï was vermoord, leidde kapitein Arthur Phillip de eerste kolonie te stichten. Het sprak de Britten aan. En zeker niet alleen uit ideële, wetenschappelijke motieven. Want Groot-Brittannië kampte met een nijpend probleem: overvolle gevangenissen. Voor die tijd konden de Engelsen hun gevangenen kwijt in Amerika, waar ze als goedkope arbeiders werden gebruikt. Maar Amerika verzette zich aan het einde van de 18de eeuw tegen de komst van steeds nieuwe gestraften uit Groot-Brittannië. De Amerikanen konden veel goedkopere slaven uit Afrika krijgen; de blanke boeven konden ze missen als kiespijn.

De Britten wisten niet meer waar ze heen moesten met hun gevangenen. Cellen bouwen op eigen land wilden ze niet meer, want dat was te duur. De gevangenen werden voorlopig op schepen vastgehouden, totdat de overtocht naar Amerika weer mogelijk zou zijn. Tevergeefs, Amerika werd onafhankelijk en die weg was definitief afgesloten. De leeftoestand op de boten werd er niet beter op. Er brak tyfus uit, de Britten waren doodsbang dat de ziekte om zich heen zou grijpen.

Geen wonder dat de Britse machthebbers zielsgelukkig waren met de mooie berichten uit dat verre, zuidelijke land. De ver-

vloot met gevangenen. Twee oorlogsbodems en negen transportschepen vervoerden 1500 mensen, van wie ongeveer de helft veroordeelden. De gevangenen zaten trouwens om pietluttige redenen vast; een diefstal van twee kippen ter waarde van 4 pence bijvoorbeeld. De veroordeelden waren gewoon arme sloebers. Moordenaars en verkrachters zaten niet bij het eerste transport.

Na een reis van 252 dagen, waarbij 48 mensen omkwamen (een wonder dat het er niet meer waren), zetten de eerste bewoners van wat nu Sydney en Australië is, op 26 januari 1788 voet aan wal. Ondanks de mooie verhalen van Cook en de zijnen, viel Botany Bay tegen: mooie planten in overvloed, maar de grond was niet geschikt om gewassen te verbouwen en huizen te bouwen. De keuze om een kolonie te stichten, viel uiteindelijk op een andere baai, die eerder door kapitein Cook was ontdekt en Port Jackson heette: de huidige baai van Sydney. 'We smaakten de voldoening de voortreffelijkste ankerplaats ter wereld te hebben gevonden, een baai waarin wel duizend linieschepen in volmaakte veiligheid voor anker kunnen liggen,' jubelde kapitein Phillip aan Lord Sydney, de opdrachtgever voor het transport. Phillip werd meteen de eerste gouverneur van het gebied dat New South Wales ging heten. Zelden is het ontstaan van een wereldstad zo gedetailleerd beschreven als dat van Sydney. De eerste jaren waren vol honger, ontberingen, muiterij en andere ellende. Een onbekende vrouw schreef in een brief over 'onze troosteloze situatie in deze eenzame woestenij der schepping, die geen vreemdeling zich zou kunnen voorstellen. (...) kortom, iedereen wordt zo door zijn eigen tegenspoed in beslag genomen dat voor anderen geen medelijden meer overblijft.'

In 1791 waren er nog drie transporten en telde de stad 4000 inwoners, veel meer dan het aantal Aborigines dat nog in die omgeving leefde. Duizenden oorspronkelijke bewoners waren inmiddels gestorven als gevolg van allerlei westerse ziektes die de vreemde bezoekers van overzee meenamen.

## GOUD

Omstreeks 1850 kwam er een einde aan de deportaties. In Groot-Brittannië drong het besef door dat de nieuwe kolonie meer was dan een dumpplaats voor overtollige gevangenen. Het nieuwe land verdiende ook de komst van 'eerlijke en oprechte' Engelsen. De volgende schepen die naar Australië zeilden, bestonden uit vrijwillige immigranten.

De nieuwe kolonie ontwikkelde zich in hoog tempo. Dat had vooral te maken met de vondst van goud, de eerste keer 200 km ten westen van Sydney (Bathurst).

De Engelsman Edward Hammond Hargraves, wanhopig op zoek naar sporen van goud in New South Wales, volgde in 1851 de loop van de Lewes Pond Creek. In vier van zijn vijf zeefbakjes met aarde zat opeens goud. De kranten schreven drie maanden later dat het gebied rond de Lewes Pond Creek 'een onmetelijk goudveld' was. Het gevolg was dat korte tijd later 1000 goudzoekers naar het 'beloofde land' trokken en aan het graven sloegen.

In september 1851 ontdekte de zeventigjarige goudgraver John Dunlop bij Ballarat, slechts 120 km ten noordwesten van Melbourne, het rijkste goudveld van allemaal. Het nieuws ging als een tornado door het land. Medio 1852 waren een kleine 50.000 mensen aan het graven in de heuvels rond Melbourne. Melbourne zelf werd door de goudkoorts het bruisende centrum van het land, Sydney verdween naar het tweede plan.

*Sydney in het begin van de vorige eeuw: trams rijden door de straten.*

## LITERATUUR VOOR ONDERWEG

De vlucht naar Australië is erg lang. Gelukkig zijn er genoeg boeken over Australië die de aandacht kunnen afleiden en die als 'opwarmertje' voor de vakantie kunnen dienen. Al lezend vliegt de tijd.

• *De fatale kust, het epos van Australië* van Robert Hughes (Amsterdam, uitgeverij Balans) verhaalt over de geboorte van de staat Australië, de reis van kapitein James Cook en zijn bemanning, de allereerste transporten van Britse gevangenen naar de andere kant van de wereld en de ontberingen van de eerste kolonisten.

• *Sydney, een geschiedenis* van Tim Flannery (Amsterdam/Antwerpen, uitgeverij Atlas) geeft aan de hand van verhalen van verschillende auteurs, onder wie Charles Darwin en Mark Twain, een boeiend beeld van Sydney.

• *Tegenvoeters, een reis door Australië* van Bill Bryson (Amsterdam/Antwerpen, uitgeverij Atlas) biedt een interessante en komische kijk op de geschiedenis en de mensen van Australië.

Op 1 januari 1901 riep koningin Victoria de *Commonwealth of Australia* uit, waarin de verschillende koloniën gingen samenwerken. Sydney en Melbourne gooiden zich vervolgens in de strijd om de hoofdstad van het nieuwe land te worden. Het werd een strijd van grote ego's die duurde tot 1913. Als compromis werd besloten een nieuwe hoofdstad te bouwen, tussen Sydney en Melbourne in: Canberra. Het parlement kwam daar in 1927 voor het eerst bijeen.

Sydney zelf bleef door de komst van nieuwe immigranten groeien; in 1925 werd de grens van 1 miljoen inwoners overschreden. De meeste nieuwe inwoners kwamen uit Groot-Brittannië. De Britse regering subsidieerde landgenoten om de oversteek naar Australië te maken. De Australiërs keken met een schuin oog naar al die nieuwkomers. De werkloosheid was hoog en schommelde tussen de 6 en 10 procent. Veel Australiërs waren bang dat de nieuwe bewoners hun baantjes zouden 'inpikken'. In de jaren twintig begon Sydney met een groot aantal projecten: de bouw van de ondergrondse en een nieuwe brug, het aanleggen van belangrijke wegen en een verdere uitbreiding van het spoorwegennet. Die projecten werden met staatsleningen gefinancierd.

De Grote Depressie in de jaren dertig liet Australië en Sydney bepaald niet onberoerd. Sterker, de Australische economie leunde voor een groot deel op de Britse economie. De crisis in Londen betekende een dubbele crisis in Australië. De werkloosheid steeg naar 29 procent; Australië was daarmee één van de landen die het hardst werden getroffen door de recessie. In Sydney trokken duizenden arbeiders naar het platteland om werk te zoeken. De autoriteiten probeerden met allerlei werkprojecten de crisis te bezweren. Zo werd in de stad het Queen Victoria Building gebouwd. Een ander hoogtepunt was de opening van de nieuwe Sydney Harbour Bridge in 1932. Die opening betekende een ommekeer in de ellende. Door de brede ontplooiing van de stad nam de economische bedrijvigheid toe en langzaam maar zeker kwam Sydney de depressie te boven. De Tweede Wereldoorlog was een angstige periode voor Australië en Sydney. Als bondgenoot van de geallieerden vochten bijna één miljoen Australische mannen en jongens mee op de slagvelden in Europa en Afrika. De nazi's in Duitsland waren ver weg, maar de andere vijand, Japan, was relatief dichtbij voor Australië. Met zoveel eigen soldaten op pad, voelde Australië zich kwetsbaar en onveilig. Voor de verde-

diging van Australië waren
de Australiërs aangewezen
op de hulp van de Ameri-
kaanse en Nederlandse strijd-
krachten (veel Nederlandse
soldaten en materieel waren
uit toenmalig Nederlands-In-
dië naar Australië uitgewe-
ken). Vooral de stad Sydney
was bang doelwit te worden
van een Japanse aanval; daar
was immers de belangrijkste
haven van het land.
Op 31 mei en 8 juni 1942
werd die angst bewaarheid.
De Japanse marine stuurde
drie minionderzeeërs op pad
om de haven van Sydney aan
te vallen. De aanval op 31
mei was het ergst: een Japanse torpedo raakte het geallieerde bevoorradingsschip
HMS *Kuttabul*, waardoor 21

*Begin jaren dertig; de bouw van de Harbour Bridge is bijna voltooid.*

mensen om het leven kwamen. Gelukkig
voor de Australiërs richtten de andere
minionderzeeërs weinig schade aan. Eén
kleine duikboot raakte in een antitorpedo-
net verstrikt en werd gebombardeerd.
Sydney bleef verder gespaard. Maar de
angst voor een vijandelijke invasie is
sindsdien nooit meer helemaal geweken.

## ZELFBEWUSTE WERELDSTAD

Na de oorlog veranderde Sydney in rap
tempo. Immigranten uit het door de oorlog verwoeste Europa trokken massaal
naar Australië om een nieuw leven op te
bouwen. Het inwonersaantal groeide van
1,6 miljoen in 1955 naar 2,6 miljoen in
1970. Het beeld van de stad veranderde
ook rap: de elektrische trams verdwenen,
de auto rukte op. De opening van het ex-
travagante Opera House in 1973 gaf Sydney wereldwijd het imago van een moderne en zelfverzekerde wereldstad. Het gebouw van de Deense architect Utzon, vijf-

tien keer zo duur als oorspronkelijk be-
groot in 1957, groeide in korte tijd uit tot
het icoon van Australië.
De toekenning en organisatie van de
Olympische Spelen in 2000 bekroonden
de positie van Sydney als de belangrijkste
stad van het land. De Spelen zelf waren
twee weken lang een groot feest voor Sydney en de wereld. 'De beste Spelen ooit,'
zeggen de Sydneysiders nog altijd in na
volging van toenmalig IOC-president Anto-
nio Samaranch. Sydney kreeg voor de Spelen op allerlei gebied een enorme opknap-
beurt (aanleg nieuwe wegen, beter openbaar vervoer), waarvan de stad nog altijd
profiteert.
Sydney is in de afgelopen decennia uitgegroeid tot de economische, financiële en
commerciële motor van het land. Ongeveer een kwart van Australiës economische activiteiten komt op rekening van
Sydney. Ook op cultureel gebied staat Sydney vooraan.

## ARCHITECT HARRY SEIDLER

*Een betonnen creatie van Harry Seidler op Martin Place*

De van oorsprong Oostenrijkse architect Harry Seidler heeft als geen ander zijn stempel gedrukt op het moderne Sydney. Hij was het die de eerste hoogbouw in de stad voor zijn rekening nam en hij was, zoals dat bij grote architecten hoort, geliefd en gehaat. Seidler overleed in 2006 op 82-jarige leeftijd.

De Oostenrijker van joodse afkomst vluchtte in 1939 via Engeland naar Canada, waar hij zijn opleiding volgde. In 1948 trok hij naar Sydney, waar hij een van zijn bekendste huizen ontwierp: een woonhuis voor zijn moeder in de Bauhaus-stijl.

Seidler heeft de nodige prijzen en onderscheidingen gekregen. Het bekendste en meest omstreden werk is de grote woontoren aan de noordoever van de Sydney Harbour Bridge. Seidler ontwierp verder de eerste wolkenkrabber op het Australia Square. In 2007 is zijn laatste ontwerp gereedgekomen: een overdekt zwembad in de wijk Ultimo.

Seidler schroomde tijdens zijn leven niet om (controversiële) meningen te geven. In 2002 zei hij tegen de krant *The Age* uit Melbourne: 'Australische architecten stellen internationaal niets voor. Er is helemaal niemand die het bloed sneller doet stromen. Ze ontwerpen gebouwen voor het platteland.'

Politiek gezien is Sydney de 'linksbuiten' van Australië. Sinds 1995 is de Australian Labor Party (ALP), de Australische variant van de PvdA, onafgebroken aan de macht in de deelstaatregering van New South Wales. Bob Carr was tien jaar lang de populaire premier van New South Wales. Hij trad in 2005 om privéredenen af. Zijn opvolger Morris Iemma probeert sindsdien krampachtig de populariteit van Carr te evenaren, maar vooralsnog is de deelstaatpremier weinig gelukkig en overtuigend in zijn politiek.

Het is opvallend dat waar de centrale regering in Canberra sinds jaar en dag in handen is van de conservatieve regering van minister-president John Howard, de regeringen van alle deelstaten door 'links' worden gedomineerd. De begrippen 'links' en 'rechts' zijn in Australië nogal relatief; Australië is in veel opzichten een bijzonder conservatief land. Voor veel Australische sociaal-democraten zal de politiek van de Nederlandse VVD al snel te links zijn, vooral wat betreft gevoelige onderwerpen als abortus, euthanasie, homoseksualiteit en drugs.

Sydney anno nu is een stad met 4,2 miljoen inwoners van 200 verschillende nationaliteiten. De stad is daarmee een multiculturele smeltkroes zonder weerga. Dat gaat niet altijd zonder problemen. In de wijk Redfern leiden veel Aborigines een bestaan in de marge, wat soms spanningen en conflicten geeft. En in de Australische zomer van 2005/2006 barstte etnisch geweld los in de wijk Cronulla. Honderden blanke Australiërs zochten de confrontatie op met Libanese jongeren, die het strand van Cronulla zouden terroriseren. Jongeren met een Libanees uiterlijk werden belaagd, geslagen en opgejaagd door een woeste massa die met Australische vlaggen zwaaide en het Australische volkslied zong. 'Een nationale schande,' riepen politici over de rassenrellen. De veel ge-

*Sydney is een autostad. De doorgaande wegen zijn altijd druk. Files en vertragingen horen bij het dagelijkse leven.*

roemde multiculturele samenleving stond even onder druk, zeker toen Libanese jongeren een dag later wraak namen. Mede dankzij een massale politie inzet keerde de rust terug. Sindsdien proberen lokale bestuurders en het toeristenbureau met man en macht het beschadigde imago van Sydney op te vijzelen.

## CHAOS

Economisch gezien vergaat het Sydney de laatste jaren slechter dan Melbourne en andere grote steden in Australië. De werkloosheid is er hoger, de huizen zijn duurder. Geen wonder dat steeds meer mensen de stad de rug toekeren.

Gemor is er verder over allerlei nieuwbouwprojecten. Een nieuwe tunnel onder het stadscentrum, aangelegd met geld van investeerders, leverde massaal verzet op. De inwoners van Sydney vonden de tol te hoog en weigerden gebruik te maken van de nieuwe weg onder de grond, waardoor de chaos in de binnenstad weer toenam. Voormalig minister-president Paul Keating

hekelde de lelijkheid van de binnenstad. Wat hem betreft mag het hele stadscentrum worden neergehaald, met uitzondering van het Opera House, het Queen Victoria Building en de wijk de Rocks.

Tot overmaat van ramp duikelde Sydney in 2006 van de eerste naar de vierde plaats op de wereldranglijst van beste toeristensteden van het reisblad *Travel and Leisure*. Florence, Rome en Bangkok gaan Sydney nu voor in deze lijst, opgesteld door de lezers van het blad. En dat was jarenlang niet gebeurd.

Het is kortom overdreven om Sydney een waar paradijs te noemen. Daarvoor is het aantal lelijke gebouwen te groot, het autoverkeer in de binnenstad te verstikkend en het openbaar vervoer te matig geregeld. Maar Sydney blijft ondanks alle tekortkoningen dynamisch en kent met gemak meer plus- dan minpunten. De officiële reclameslogan van de stad is dan ook uit het hart gegrepen: *There's no place in the world like Sydney!*

# HIGHLIGHTS

Het is zonde om Sydney in een dag af te raffelen. Dat is te vergelijken met Japanse toeristen die in Nederland in een halve dag per bus naar Volendam en Kinderdijk rijden en vervolgens denken heel Nederland gezien te hebben. Niet dus. Er is zo veel te zien en te beleven in Sydney dat je minimaal een paar dagen nodig hebt om een beetje overzicht te krijgen.

Maar wie echt geen andere keuze heeft (of gewoon eigenwijs is), kan met een efficiënte planning in een dag heel wat bewonderen. Een lijstje met tips daarom voor de (och arme) gehaaste bezoeker:

- Verlaat het vliegveld zo snel mogelijk, negeer de jetlag en stap na een douche op de trein naar **Circular Quay**. Wandel langs de veerboten over de boulevard en sta stil bij de muziek makende Abo-

*In het dak van het Opera House zijn meer dan een miljoen tegeltjes gezet.*

riginal straatartiest die je het (valse) gevoel geeft kennis te maken met de oorspronkelijke bewoners van dit continent.

Geniet verder van de dure cafés hier, slenter langs de upmarket-winkels en kijk naar de hordes toeristen die hier samendrommen. Laat je meevoeren naar het **Sydney Opera House** en ervaar het ultieme Australiëgevoel. Welkom in Sydney! Loop de trappen op, bewonder de witte tegeltjes, neem even een kijkje binnen en verbaas je over het jarenzeventiginterieur.

- Loop naar het park dat grenst aan het Opera House. Dit zijn de **Botanische Tuinen** met tientallen bijzondere bomen en planten. Dit is geen Nederland met talloze ge- en verboden, je mag hier op het gras lopen, de bloemen aanraken en de bomen omarmen. In het midden van het park, bij het Palm Cove Centre, kun je duizenden en duizenden vleermuizen aan de boomtakken zien hangen. Hun gepiep kun je niet missen. Maak een wandeling (pas op dat er geen vleermuizenpoep op je hoofd valt) en laat uitzicht, water, ruimte en natuur op je inwerken.
- Ga terug naar de kade met de veerboten en neem de pont naar **Manly**, de badplaats in het noorden van de stad. De boottocht van een halfuurtje is beter dan welke dure cruise dan ook. Het uitzicht vanaf het water op het Opera House en de Sydney Harbour Bridge is onvergetelijk. Onderweg zie je de riante verblijven van de gouverneur-gene-

raal en van de minister-president liggen.

Loop in Manly over de wandelboulevard Corso naar het strand, geniet van een lunch en neem de ferry terug naar Circular Quay. Ga op de terugtocht aan de andere kant van de ferry op een bankje zitten, zodat je een ander uitzicht hebt dan op de heenweg. De overtocht blijft een sensatie.

● Terug op Circular Quay is het tijd om die andere icoon van Sydney van dichtbij te bekijken: de **Harbour Bridge**. Loop over de brug naar de andere kant en neem halverwege even pauze. Je bent misschien niet zo hoog als de fanatiekelingen die boven op de brugbogen klauteren, maar vanaf de weg is het uitzicht ook meer dan de moeite waard. Kijk naar de drukte op het water en geniet van het Opera House dat blinkt in de zon.

● Door de wandeling ben je zo enthousiast geworden, dat er nog tijd is voor een ander hoogtepunt in Sydney: **Bondi Beach**, het wereldberoemde strand. Neem de trein naar Bondi Junction, stap over op de bus en stap uit bij het langgerekte strand. Bekijk de imponerende golven, de lenige surfers, de roodgeel geklede strandwachten en de vele gebruinde lijven die hutjemutje liggen. Op de boulevard kun je terecht bij een van de talrijke cafeetjes voor een café latte. In een surfshop koop je originele Bondi-zwemkleding. Cool!

● De zon heeft je energiek gemaakt; je wilt de dynamiek van de stad aan den lijve ondervinden en je wilt wat eten. De dag heeft je hongerig gemaakt. Neem de trein naar **Newtown**. Daar bruist het leven bijna 24 uur per dag. De cafés, restaurants en winkeltjes op de razenddrukke King Street zijn amper te tellen. Je struikelt over hip Sydney: wereldverbeteraars, studenten, huisvrouwen, zakenlui, junks, homo's, alcoholisten, zwervers en Aborigines vormen hier een optimale culturele smeltkroes.

Als je deze topzes hebt afgewerkt en na een volle dag moe, maar voldaan op het vliegveld wacht op je vlucht, dan weet je zeker: de volgende keer neem ik meer tijd om van Sydney te genieten.

# 2

# Circular Quay en omgeving

Circular Quay (om de een of andere reden spreken de Sydneysiders 'Quay' verkeerd uit met een 'ie') is de gonzende bijenkorf van Sydney. Overal vliegen mensen heen en weer, bussen, treinen, veerboten en watertaxi's arriveren en vertrekken praktisch elke minuut en de cruiseschepen laten hier de passagiers van boord. Kortom, dit is het kloppende middelpunt van de stad. Tussen de drommen toeristen en gehaaste Sydneysiders-forenzen zit vaak een verdwaalde Aborigine op een didgeridoo te blazen. De Sydney Harbour Bridge en het befaamde Opera House zijn in al hun pracht te zien.

Dit is ook de plaats waar de eerste nederzetting in 1788 is gesticht. De haven waar nu de ferry's en cruises af en aan varen, heet Sydney Cove. Hier besloten de eerste pioniers een bestaan op te bouwen. Wie oud Sydney wil zien, moet dus op Circular Quay beginnen.

## THE ROCKS

Het oudste deel van Sydney heet The Rocks, naar het zandsteen in de ondergrond dat is gebruikt om de huizen te bouwen. **Cadmans Cottage,** het oudste woonhuis van Sydney uit 1816, staat in dit deel van de stad. Cadmans Cottage ligt nu zo'n 100 m verwijderd van het water, maar is in 1816 pal aan de waterkant gebouwd. In de jaren daarna is er steeds meer van de haven gedempt om plaats te maken voor gebouwen. Hier woonde de bemanning van het schip van de gouverneur, in vroeger tijd een belangrijk vervoermiddel. Cadman was een veroordeelde (hij had in Engeland een paard gestolen) en werd na vrijlating de supervisor van de vloot. Later was dit gebouwtje het hoofdkantoor van de waterpolitie.

Het optrekje is nu gratis toegankelijk. De New South Wales National Parks and Wildlife Service heeft er een tentoonstel-

▲ *Wachten op de pont bij Circular Quay*
◀ *Toeristen vermaken zich op Circular Quay met muziekmakende Aborigines.*

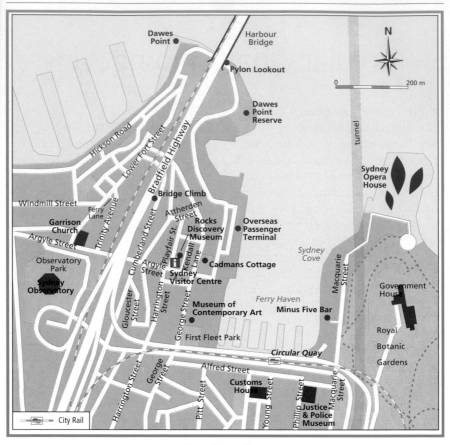

*Tussen Brug en Opera*

ling gemaakt over de geschiedenis van het huis en dus van Sydney. Er zijn wat oude muren te zien die iets verklappen over uitbreidingen van het gebouw. Maar het geheel geeft toch niet het gevoel dat je in een echt oud gebouw bent.

ⓘ CADMANS COTTAGE, 110 George Street, tel. 9247 5033, www.nationalparks.nsw.gov.au. Geopend: ma.–vr. 9.30–16.30, za.–zo. 10–16.30 uur.

## Wandelen door The Rocks

Bij het **Sydney Visitor Centre,** gehuisvest in het historische Penryhm House op de hoek van Argyle en Playfair Street, is een eenvoudige gids te koop. Daar liggen veel folders en zijn boeken en andere snuisterijen te koop. Ook kan hier een van de

rondleidingen worden geboekt, zoals de Pub Tour, waar iets wordt gezegd over de geheimen van de oudste cafés van Sydney. Of anders de Ghost Tour: een gids voert de bezoekers in het donker langs de plekken waar moord, smokkel en andere ongure zaken aan de orde van de dag zouden zijn geweest. Je moet van dit soort rondleidingen houden om ervan te genieten. De prijzen variëren, maar reken toch op minimaal 30 dollar per persoon.

Sydney doet er alles aan om The Rocks onder toeristen te promoten. Er is in ieder geval genoeg te doen, zoals 25 cafés, 49 restaurants, 14 bars, 13 pubs, 15 hotels, en tal van winkels, waaronder vijf waar Aboriginal kunst wordt verkocht. Zaterdag en zondag is er van 10 tot 17 uur op George Street een markt.

Het **Rocks Discovery Museum** in Kendall Lane (gratis) vertelt in vier episodes de geschiedenis van het gebied. Eerst de periode voor 1788, de komst van de Eerste Vloot, dan de eerste woelige jaren van de kolonie tot 1820, vervolgens de opkomst van Sydney als haven tot 1900 en daarna het verhaal over The Rocks als onderdeel van Australië.

Wie nieuwsgierig is naar hoe de mensen hier eind 19de eeuw woonden, kan even binnenstappen bij het **Colonial House Museum**. Voor slechts 1 dollar kun je in zes volgepropte kamers een blik werpen op meubels en andere voorwerpen uit 1880.

*De Harbour Bridge klieft de oude wijk The Rocks doormidden.*

ℹ️ SYDNEY VISITOR CENTRE, hoek Argyle en Playfair Street, tel. 9240 8788 of 1800 067 676 (gratis in Australië), www.sydneyvisitorcentre.com. Geopend: dag. 9.30–17.30 uur.

THE ROCKS DISCOVERY MUSEUM, 2-8 Kendall Lane, tel. 1800 067676, www.therocks.com. Geopend: dag. 10–17 uur.

Zie ook www.rocksdiscoverymuseum.com.au.

COLONIAL HOUSE MUSEUM, 53 Lower Fort Street, 9247 6008. Geopend: dag 10–17 uur.

Australië heeft niet de reputatie zorgvuldig om te gaan met het verleden. Vooruitgang staat voorop. In The Rocks is in ieder geval nog iets ouds te zien, hoewel het meeste een toeristische bestemming heeft gekregen. Oude pakhuizen zijn exclusieve restaurants geworden. En een deel van The Rocks is verbouwd tot een vijfsterrenhotel (Hyatt). De wandeling door The Rocks voert over

**Dawes Point** (een schiereiland), waar de Harbour Bridge het beeld domineert. De brug die nu wordt bejubeld, heeft voor een deel het doodvonnis over de wijk getekend. De wijk is door de brugpijlers uit elkaar gereten. De wandeling voert onder de brug door, waar nog verdedigingswerken zijn opgesteld. Sydney en Australië hebben veel aanvallen gevreesd. De Spanjaarden moesten op afstand worden gehouden en daarna meenden ook de Fransen (Napoleon) een stukje te kunnen claimen. Halverwege de jaren vijftig van de 19de eeuw was er de angst dat de Russen het land binnen zouden vallen. Maar de kanonnen werden daarna overbodig. Ze zijn nooit gebruikt, anders dan bij festiviteiten of die ene keer toen een Franse vloot de haven binnenvoer, maar toen was het niet meer dan een vriendelijke groet.

*Een 'bruine' kroeg in The Rocks*

huis te zien waar in 1900 het eerste slachtoffer van de builenpest woonde: Arthur Paine. De arme man kwam op 19 januari van dat jaar thuis van zijn werk in de haven en werd ziek.

Op de hoek van Windmill en Lower Fort Street valt een van de oudste cafés van Sydney op, the **Hero of Waterloo** uit 1843. Dit was eerst een legerbarak, daarna café. Vanuit de kelder loopt een tunnel naar het havenfront. Die tunnel werd eerst gebruikt door soldaten, daarna door dronken schippers die niet over de openbare weg durfden te lopen. Het café is nu een geliefde pleisterplaats voor toeristen die binnen op zoek gaan naar de spannende verhalen.

Op het einde van de Lower Fort Street bij de Argyle Street staat de eerste officiële kerk van de kolonie, de **Garrison Church**. De kerk is gebouwd in 1840 en binnen heb je echt het gevoel een eeuw terug te zijn. De glas-in-loodramen zijn mooi, zo mooi dat ze in 1984 zijn gebruikt als afbeelding voor de kerstzegels in Australië. Het leger heeft deze kerk gebruikt om zijn helden te eren. Het *Lest we forget* (Opdat we niet vergeten) is vele keren in rijk versierde plaquettes gegraveerd. De oorlogsgeschiedenis van Australië valt hier in een notendop te zien, zoals de aanval op Darwin in 1942, waarbij 243 mensen om het leven kwamen. De Japanners wisten Australië niet te bezetten.

Aan de zielzorg is natuurlijk gedacht. In een bakje staan kleine formulieren met stichtelijke teksten in veel talen, dus ook in het Nederlands.

## Builenpest

Aan de westkant van de brug is nog iets over van de oude sfeer van The Rocks. Daar zijn smalle straten en kleine huisjes, maar echt veel is het niet. Dat heeft ook te maken met de builenpest die hier in 1900 toesloeg. De ziekte die in Hongkong en India duizenden slachtoffers had gemaakt en ook al op de eilandengroep Nieuw-Caledonië was gesignaleerd, bereikte toen de oudste wijk van Sydney. De wijk werd volledig van de buitenwereld afgesloten. Hoewel in Sydney maar 100 mensen aan de gevreesde aandoening bezweken, had de ziekte een verwoestend effect op de wijk. De oude huizen werden gesloopt, het gebied kreeg een slechte reputatie. **Ferry Lane,** het steegje valt haast niet op, is de enige straat uit die tijd die nog over is. Op nummer 10 zijn de fundamenten van het

## Observatorium

In het Observatory Park staat het oude zandstenen **Sydney Observatory** uit 1859. Het is nu een gratis toegankelijk museum met een uitgebreide collectie telescopen. Aandacht is er voor de zogenoemde Venuspassage uit 1769, voor Australië van groot belang. James Cook was naar de Stille Zuidzee gestuurd om de passage van de planeet Venus voor de zon te bestuderen en metingen te doen. Nadat die klus met succes was geklaard, ging hij wat rondvaren en kwam toen onder meer bij de oostkust van Australië terecht. Met alle gevolgen vandien.

Halverwege de jaren zeventig waren de lucht- en lichtvervuiling zo ernstig dat het observatorium verkaste naar de Blue Mountains, ruim 100 km naar het westen. Het oude gebouw werd toen museum. De mogelijkheid bestaat om onder begeleiding 's nachts naar de sterren te kijken en op zoek te gaan naar het beroemdste sterrenbeeld van Down Under: het Southern Cross, ook te zien in de vlag van Australië. De rondleiding van circa twee uur is inclusief een blik door historische en moderne telescopen. De kosten zijn 15 Au$ per persoon en boeken is verplicht op het telefoonnummer van het observatorium.

ⓘ SYDNEY OBSERVATORY, Watson Road, tel. 9241 3767, www.sydneyobservatory.com.au. Geopend: dag. 10–17 uur; toegang gratis.

3-D SPACE THEATRE. Geopend: ma.–vr. 14.30 en 15.30 uur; entree 7 Au$ voor volwassenen, 5 Au$ voor kinderen.

De wandeling voert weer terug onder de brug door naar leuke smalle straatjes en steegjes, zoals de smalle doorgangen in de verplegers- en ziekenhuiswijk. Hier stond vroeger een ziekenhuis en maakten lange tijd straatbendes het leven van de politie zuur. De wandeling is al met al goed om een indruk te krijgen van Sydneys oudste geschiedenis, maar het geheel doet een beetje geforceerd aan. Te vaak zijn het de verhalen die de bezienswaardigheden bijzonder maken, van zichzelf maken ze weinig indruk.

## HARBOUR BRIDGE

De Harbour Bridge, door de Sydneysiders liefkozend 'de kleerhanger' genoemd, domineert The Rocks, nee eigenlijk de hele haven van Sydney. Het massieve gevaarte valt veel meer op dan het elegantere Operahuis iets verder weg. De bouw van de brug begon in 1924 en met zijn overspanning van 503 m tussen de oevers was het destijds de grootste afstand die een brug met een boog wist te overbruggen. Het ontwerp is afgekeken van de Hell Gate Bridge in New York (over de East River), geopend in 1916. Er is acht jaar aan gewerkt.

Er zijn, om maar een cijfertje te noemen, 6 miljoen klinknagels gebruikt. Lassen deden ze toen nog niet. Een verfbeurt vraagt ongeveer 30.000 liter verf en zo zijn er wel duizenden superlatieven voor dit gevaarte (hoogte 134 m) te vinden.

In maart 1932 ging de weg open voor het verkeer, een bijzondere gebeurtenis in de geschiedenis van Sydney. De weg kende zes rijstroken voor het verkeer, twee voor de tram en twee voor de trein. Toen de tram in 1960 werd opgedoekt, kreeg het verkeer nog meer ruimte. De trein gaat nog altijd over de brug.

Bij de opening was er meteen een fikse rel. De premier van New South Wales stond klaar met een schaar om het lint door te knippen. Terwijl de socialistische John T. Lang met zijn toespraak bezig was, kwam er uit de ceremoniële wacht ineens een ruiter tevoorschijn die op zijn kastanjebruine paard Mick naar voren draafde, met zijn zwaard het lint doormidden sloeg en aldus de brug in gebruik nam. De ruiter was de Ier Francis de Groot, aangesloten bij de fascistische politieke organisatie

*De drukte vlak na de opening van de Harbour Bridge in 1932*

The New Guard. Hij vond dat niet iemand van de socialistische Labor Party de brug moest open, maar een lid van het Britse koninklijk huis. De politie arresteerde de actievoerder te paard en het doorkliefde lint werd in allerijl aan elkaar geknoopt. Zodat de premier even later alsnog officieel het lint doormidden kon knippen. Het is opmerkelijk dat het stalen gevaarte het heeft geschopt tot een van de belangrijkste beeldmerken van de stad. Meestal krijgen bruggen niet zo veel faam, maar in Australië waar niet iets echt oud is, valt een 75 jaar oude brug wel op. Maar toegegeven: het is een imposant gevaarte met onmiskenbaar een aansprekende vorm. De ligging in het centrum helpt aan zijn populariteit, evenals het jaarlijkse spectaculaire vuurwerk op 1 januari om het nieuwe jaar in te luiden, een festijn dat zeker een miljoen bezoekers trekt.

Er valt ook wat te zien, anders dan erover heen te lopen (doen!). Bijzonder zijn de vier enorme decoratieve torens, twee aan elke kant. Een ervan (de oostelijke toren aan de kant van het centrum) is te beklimmen: **Pylon Lookout**. Na 200 treden sta je dan 87 m boven het water van de haven en is er een mooi uitzicht over stad en brug. Binnen is een tentoonstelling over de bouw van de brug.

ⓘ PYLON LOOKOUT, tel. 9240 1100, www.pylon-lookout.com.au. Geopend: dag. 10–17 uur; entree: 9 Au$.

### De brug beklimmen

De Pylon Lookout heeft te lijden van een relatieve nieuwkomer op de toeristenmarkt in Sydney: de **Bridge Climb**. Slimmeriken kregen het idee om een wandeling over het stalen gevaarte te organiseren naar het hoogste punt van de brug, daar waar de Australische vlag elke dag weer wappert. Na de nodige onderhandelingen met de autoriteiten over de veiligheid, gingen in 1998 de eerste waaghalzen naar boven. In 2003 was de miljoenste betalende bezoeker geteld.

De excursie is ontegenzeggelijk erg commercieel, maar tegelijkertijd heel leuk.

*De Bridge Climb, het wandelen over de boog van de Harbour Bridge is een van de meest geliefde attracties. Goedkoop is het niet.*

heeft. Er mogen geen losse spullen mee naar boven. Geen portemonnees dus en geen fototoestellen.

Maar geen nood, de gids die de groepen van maximaal twaalf mensen onder zijn hoede heeft, neemt een camera mee en is van harte bereid je overal in bijna elk willekeurig standje vast te leggen. De groepsfoto is inbegrepen bij de toegangsprijs, de andere kiekjes zijn te koop tegen (forse) prijzen. Brildragers mogen overigens hun hulpmiddel wel meenemen, maar dan wel aan een koordje om de nek. 'We willen absoluut niet hebben dat er iets op de weg valt waar de auto's overheen razen,' legt de organisatie uit. 'Een aansteker is vanaf die hoogte gegooid, een dodelijk wapen.'

De hele tocht, die ongeveer 3,5 uur duurt, is absoluut niet eng of gevaarlijk. De deelnemers zijn via een ingenieus systeem bevestigd aan een railing en kunnen dus niet van de brug springen, als ze dat al zouden willen. Op de top bij de vlaggenmasten is circa tien minuten tijd om van het uitzicht te genieten. De gids beantwoordt de vragen. Hij is via een ontvanger en een knopje in het oor goed te verstaan. Daarna steekt de groep de brug over en daalt aan de andere kant weer af. Na het omkleden zijn de foto's klaar.

Reserveren is aan te bevelen om de tijd te kiezen waarop je naar boven wilt klim-

Het kost een lieve duit, dat wel, dit soort excursies zijn in Australië nooit goedkoop. Reken op minimaal 169 dollar per persoon, kinderen 100 Au$. Sommige excursies, bijvoorbeeld bij zonsondergang en door de 'ingewanden' van de brug zijn duurder.

Bereid je voor op soepel georganiseerd topamusement met een blaastest (geen alcohol drinken van tevoren), een oefening in het klimmen op een trap (hilarisch) en het omkleden in een speciale grijze overall van Bridge Climb. De organisatie wil geen gezeur hebben dat het mooie, witte zijden bloesje van een bezoeker een zwarte veeg

*Opera House en Harbour Bridge*

men. Maar je kunt je ook spontaan aanmelden en kijken wanneer er plaats is.

ℹ BRIDGECLIMB, 5 Cumberland Street, tel. 8274 7777, www.bridgeclimb.com. Geopend: dag. van zonsopgang tot zonsondergang.

## OPERA HOUSE

Terug op Circular Quay is het maar een klein stukje naar het gebouw dat Sydney echt beroemd heeft gemaakt: het Opera House. Dit is het gebouw dat lijkt op een schip dat met witte, bollende zeilen de stad binnen vaart. Het gebouw dat, vanaf het water gezien, lijkt op de kaken van een machtige haai die even zijn kop uit het water steekt.

Het beroemdste gebouw ter wereld, zoals het Opera House zichzelf aanprijst, is een oneindig aantal keren bejubeld en de hemel ingeprezen. Terecht. Dit gebouw is het jongste dat het heeft geschopt tot de groslijst van moderne wereldwonderen.

De bewonderaars komen woorden tekort om hun waardering voor het gebouw onder woorden te brengen. Het Operahuis in Sydney vindt zijn gelijke in de Eiffeltoren in Parijs of het Empire State Building in New York. En het heeft in zijn ruim dertigjarig bestaan dezelfde betekenis voor Australië gekregen als de piramides voor Egypte en het Colosseum voor Rome.

## De bouw

In de jaren vijftig schreef de regering van New South Wales een wereldwijde prijsvraag uit om een nieuw operahuis voor Bennelong Point te ontwerpen. Het Bennelong Point, tot de jaren zestig een tramremise, had iets nieuws nodig. Na het vertrek van de tram was het schiereilandje een beetje een verloren plek in Sydney. En dat was zonde: deze plek was namelijk omgeven door water en door het groen van de botanische tuin. Daarmee was Bennelong Point een van de geliefdste plekken om een openbaar gebouw neer te zetten.

Eind jaren veertig gingen er al stemmen op een Opera House te bouwen in de stad, maar het viel niet mee de overheid te overtuigen. Er waren destijds nog geen symfonieorkesten, nog geen vast operagezelschap. In 1956 was het zover. De regering kondigde een internationale competitie aan om een 'Nationaal Opera Huis' te bouwen op het Bennelong Point.

De Deense architect Jørn Utzon uit Hellebaek won de competitie en verkreeg zo wereldfaam en een beloning van 5000 Engelse ponden. Hij vertelde over zijn ontwerp: 'Alles dat ontworpen is voor het Opera House is gebaseerd op het verlangen om mensen uit hun dagelijkse sleur te halen in een wereld van verrassing; een wereld die ze kunnen delen met de musici

# EEN LOT UIT DE LOTERIJ

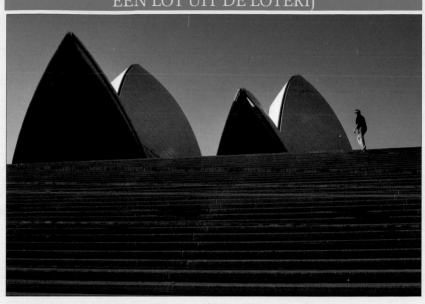

*De trap voor het Opera House*

De rekening van het Opera House werd deels betaald uit de opbrengst van een grote loterij. Net als de constructie van het gebouw, was de loterij geen vreugdevolle onderneming. Een lot kostte destijds 5 pond (Australië had toen nog ponden, ongeveer 10 Au$, zeg maar een gemiddeld dagloon).

In 1960 won Bazil Thorne de hoofdprijs van 100.000 pond, vergelijkbaar met een paar miljoen dollar nu. Veel geld dus. Maar de prijs die op lot 3932 viel, bracht de doorsnee Australische familie geen geluk. Sterker, het fortuin werd een ramp. De winnaar van de hoofdprijs kreeg veel publiciteit, met foto's van de gelukkige familie in de kranten. Dit trok ook de aandacht van de crimineel Stephen Bradley (toen 34), die het achtjarige zoontje Graeme van de familie wilde ontvoeren. Hij belde naar de telefonische inlichtingendienst en kreeg zonder probleem telefoonnummer en adres van de familie die in de wijk Bondi woonde. Vergeet niet, we zijn nog in het rustige, vreedzame Australië van de jaren zestig.

Op 7 juli van dat jaar werd het zoontje op 300 m van huis ontvoerd, toen hij naar school liep. Hij werd in de kofferbak van een auto geprop. Niemand had wat gezien. Dezelfde ochtend kwam het telefoontje voor losgeld: 25.000 pond, een kwart van de prijs. 'Als het geld er niet voor vijf uur vanmiddag is, voer ik je jongen aan de haaien,' klonk het dreigend.

Er werd niet betaald, de politie begon een klopjacht op de dader en omdat de man nogal onzorgvuldig te werk ging, was snel duidelijk wie het had gedaan. Australië en Sydney waren geschokt. Helaas was de politie niet snel genoeg om het leven van de jongen te redden. Hij werd op 16 augustus dood gevonden op een verlaten stuk grond in het noorden van de stad.

Toen de politie het huis van Bradley, een emigrant uit Hongarije, in oktober had opgespoord, was de vogel gevlogen. Naar het buitenland, zo bleek. Hij was onderweg met de P&O-lijnboot *Himalaya* naar Engeland, via Colombo op Sri Lanka. Toen hij daar op 10 oktober aankwam, werd hij meteen gearresteerd en naar Sydney teruggevlogen. Hij bekende uiteindelijk en kreeg levenslang. In 1968 stierf hij aan een hartaanval op 42-jarige leeftijd.

en de acteurs.'

Utzon besteedde veel aandacht aan het dak, omdat het gebouw van alle kanten bekeken kon worden. Hij wilde een aantrekkingspunt hebben in een 'waterscape' (naar analogie van het Engelse landscape). Vrijwel meteen was het winnende ontwerp van de Deen inzet van heftige polemieken van kunstminnaars en -critici. De een noemde het verzinsel van Utzon 'een vorm van poëzie', de ander sneerde dat het Opera House eruit zag als 'een insect met een schild op zijn rug dat net onder een blok hout vandaan is gekropen'.

De bouw van het nieuwe Opera House was allesbehalve eenvoudig. Er waren veel problemen op te lossen, vooral rond het dak. Utzon had namelijk geen pilaren in de zaal gepland om de constructie te dragen. Het kostte de architect jaren om te verzinnen hoe de constructie moest worden gemaakt.

Het dak is inderdaad gigantisch. Het oppervlak is ruim 1,5 ha groot en er zijn meer dan 1 miljoen tegels gezet, die afkomstig zijn uit Zweden. Er zijn twee kleuren gebruikt. De een is glanzend en bijna wit, de andere mat en meer roomkleurig. Door de twee varianten in een patroon te gebruiken, benadrukte Utzon het bijzondere karakter van het dak.

Maar zoals vaker gebeurt bij geniale geesten, Utzon werd niet begrepen door de mensen die de rekening moesten betalen. Het beschikbaar gestelde budget van 7 miljoen Australische dollar was bij lange na niet genoeg voor het ambitieuze gebouw. Er was vier jaar uitgetrokken voor de bouw, maar het schoot niet op. De scepsis over het ontwerp groeide met de jaren en Utzon kreeg de schuld van alles wat fout ging. Na negen jaar worstelen met het ontwerp, liep de ruzie zo hoog op dat de Australische overheid en de architect Utzon met elkaar braken. De Deen verliet Sydney om er niet meer terug te keren.

Zijn vertrek had tot gevolg dat het gebouw niet volgens de oorspronkelijke plannen is voltooid. De ideeën voor de grote en kleine zaal, de glazen muren en de publieke ruimte rond de opera zijn nooit gerealiseerd. De Australische architecten Hall, Todd en Littlemore kregen de ondankbare taak de klus te klaren. Het geld was op en dit verklaart het ietwat teleurstellende interieur van het gebouw. De kleur van beton overheerst, de binnenkant weerspiegelt in het geheel niet wat de buitenkant belooft. De eindrekening was net zoals het gebouw adembenemend: niet 7 miljoen, maar ruim 100 miljoen Australische dollar, het vijftienvoudige!

Op 20 oktober 1973 werd het Opera House officieel in gebruik genomen door koningin Elizabeth II. Het eerste optreden was op 28 september 1973 met een uitvoering van Prokofievs *Oorlog en Vrede* door Opera Australia. Snel sloot Australië het gebouw in de armen. 'Tien minuten na de opening was iedereen enthousiast,' zegt de gids die een rondleiding door het gebouw geeft. 'En sindsdien is het enthousiasme alleen maar groter geworden.'

### Toenadering

Begin deze eeuw was er weer sprake van toenadering tussen Sydney en de Deen Utzon. De architect, toen begin tachtig, wilde wel nadenken over de verbetering van het interieur van het gebouw. In 2002 zette hij zijn uitgangspunten op papier. Hij was toeschietelijk: 'Naarmate de tijd verstrijkt en de behoeften veranderen, is er niets op tegen het gebouw aan te passen aan de nieuwe verlangens. Maar de veranderingen moeten zo zijn, dat het originele karakter van het gebouw in stand blijft.' Sindsdien wordt er mondjesmaat gebouwd aan het Opera House. In 2004 werd een zaal naar hem vernoemd. Hij had die aangepast volgens zijn wensen. En hij werkte aan een uitkijkbalkon aan de

*Het interieur van het Opera House valt een beetje tegen.*

westkant van het gebouw en aan nieuwere foyers. In 2006 opende koningin Elizabeth II de nieuwe westelijke passage van het Opera House, volgens het ontwerp van Utzon.

Zoon Jan Utzon, ook architect, was erbij. Hij vertelde toen geëmotioneerd: 'Bij elke ademhaling denkt mijn vader aan het Opera House. Hij hoeft zijn ogen maar te sluiten en hij is weer hier.' Vader Jørn, toen 88, was te oud om nog zo ver te reizen. En zo lijkt alles nog goed te komen tussen architect en land, al zal het nog jaren duren voordat het Opera House echt af is. 'Om alles te doen wat Utzon in zijn hoofd heeft en had, kost naar schatting 700 miljoen dollar, veel meer dan de bouw van de Opera zelf heeft gekost,' verzucht een medewerker.

**In het gebouw**

Natuurlijk kun je gewoon om het gebouw lopen en je vergapen aan de tegels, de trappen op en even naar binnen lopen om te kijken of er nog kaartjes zijn voor een con-cert of een opera. Wie meer wil zien, heeft de keuze uit twee rondleidingen. Een is de excursie door het Opera House, een één uur durende wandeling onder leiding van een gids. De gids neemt je mee naar de concertzaal, de operazaal en de indrukwekkende Utzonzaal, waar je een indruk krijgt hoe het interieur van het gebouw eigenlijk had moeten zijn. Ook imposant zijn de overdekte balkons aan de havenkant. De toeschouwers komen in de pauze naar die balkons voor een drankje. Ze lijken op de brug van een enorm schip te staan die over het water uitkijkt.

Daarnaast is er de twee uur durende Backstage Tour die op het wel erg vroege tijdstip van 7 uur 's ochtends vertrekt. Dan is er namelijk nog niemand in het gebouw aan het werk. Voor 140 Au$ per persoon word je in een groep van hooguit acht mensen rondgeleid en de bezichtiging eindigt met een licht ontbijt van een halfuurtje, waarin de gids alle tijd heeft voor het beantwoorden van vragen. Het boeken van deze rondleiding (tel. 9250 7250) is noodzakelijk.

En natuurlijk kun je naar een voorstelling gaan. Het gebouw herbergt zeven zalen waar optredens worden gegeven. Elke kunstvorm komt aan bod, hoewel de naam anders doet vermoeden. Willen dergelijke gebouwen in Europa nogal een snobistisch imago hebben, in Sydney is dat niet het geval. Dat komt zeker door het management dat voor alle soorten vertier de deuren opent. Sumoworstelen, politieke bijeenkomsten, de finale van de Australische Idols, Arnold Schwarzenegger toen hij in 1980 tot Mr. Olympia werd gekozen, Elton John en Olivia Newton John met het Sydney Symphony orkest, iedereen is welkom. Nou ja, iedereen. Bokswedstrijden zijn verboden, nadat het publiek bij een bokswedstrijd ooit de zaal begon af te breken. En keiharde rockbands, zoals de Australische AC/DC, zijn ook niet welkom.

De grootste zaal is de concertzaal met 2679 stoelen en die zit onder het grote dak van het gebouw. De vaste bespeler van deze zaal is het Sydney Symphony Orchestra.

Onder het kleine dak zit de Operazaal met 1547 stoelen. In de orkestbak is ruimte voor 72 muzikanten. Alle bekende opera's zijn hier opgevoerd. Veel beroemde diva's hebben op dit podium gezongen. Dieper in de catacomben van het gebouw zijn nog de Utzon Room voor kamermuziek of ontvangsten, een toneelzaal met 544 stoelen, een studio die zonodig kan worden omgebouwd tot een nachtclubachtig zaaltje en een Play House, waar modern theater wordt vertoond en ook als bioscoop kan worden gebruikt.

De prijzen variëren erg: tussen de 25 en 160 Australische dollar. Reserveer tijdig. Dit kan online en betalen gaat per creditcard. De kaartjes liggen keurig te wachten bij het begin van de voorstelling. Of als je toch aan het bezichtigen bent, loop dan even naar de Box Office en wie weet is er nog iets vrij voor de opera van die avond.

En al valt de voorstelling dan misschien tegen, het drinken van een glas champagne buiten met uitzicht op haven en brug maakt het bezoek onvergetelijk. Kaartje niet weggooien als je buiten je drankje wilt nuttigen, anders kom je er na de pauze niet meer in.

Behalve optredens en orkesten is er in het complex nog meer te doen, zoals de onvermijdelijke reeks van winkeltjes, bars, restaurants en cafés. En buiten het gebouw wordt elke zondag een kunstmarkt gehouden.

ⓘ OPERA HOUSE, tel. 9250 7111, www.sydneyoperahouse.com.

## VERDER BIJ CIRCULAR QUAY

De drukke wandelboulevard langs het water van Circular Quay is een attractie op zich. Cafés, restaurants, kunst- en kledingwinkels bepalen de sfeer. En die sfeer is ronduit chic. Een cappuccino met een gebakje kost hier een klein fortuin. Maar goed, wie consumeert op een terras aan de voet van het Opera House met uitzicht op de Harbour Bridge moet natuurlijk niet zeuren over geld.

Een nieuwe attractie hier is de **Minus Five Bar**: een bar waar het altijd vriest. In de bar kan aan een tafeltje van ijs een glaasje wodka worden gedronken. Het kost een lieve duit (30 Au$), maar voor dat geld krijg je wel dikke kleding om het uit te houden in de vrieskou. Tja, voor een Australiër die bijna nooit vorst meemaakt, is de nieuwe bar een kleine sensatie. Maar een Nederlander weet wel hoe het voelt als het buiten tien graden vriest (en het ook nog eens lekker waait).

## Customs House

Bij Circular Quay hoort een gebouw dat onlosmakelijk met deze plek is verbonden: het Customs House. Het gebouw staat op de plaats waar ten tijde van de aankomst van de Britten in 1788 een Aboriginal Eora-stam woonde. Deze Aborigines waren getuige van het hijsen van de eerste Britse vlag op hun continent en waren de eersten die echt in contact kwamen met de Britten. Ter herinnering aan dit feit wappert op het gebouw dan ook de Aboriginal vlag (een zwarte baan, een rode baan met een grote gele stip in het midden).

Op deze plek kwam in 1845 het douanekantoor, waar alle goederen en mensen die het land binnen wilden, werden gecontroleerd. In die tijd kwam alles wat naar Sydney en New South Wales wilde, hier het land binnen. Tegenwoordig zijn Port Botany in het zuiden van de stad en de luchthaven de toegangspoorten. Tot 1990 bleef het kantoor op deze plaats, daarna werd het een representatief gebouw voor de gemeente Sydney, die het Customs House gebruikt als bibliotheek en tentoonstellingsruimte.

Het opvallendst binnen is de enorme maquette van de binnenstad van 4 bij 9 m in een glazen vitrine. Hier is een wandeling over de stad mogelijk, want de vitrine is verzonken in de vloer van de begane grond met dikke glasplaten. Ook een blik naar het plafond is de moeite waard. Deze plek is een waarlijk multimediale plek geworden met 150 kranten en tijdschriften uit de hele wereld, een muur met tv-schermen en uiteraard een café-restaurant.

Schrik niet van de swastikatekens in de vloer van de hal. Nazi-Duitsland heeft hier geen dependance gehad. Het symbool dat door nazi-Duitsland is misbruikt, heeft een eeuwenoude geschiedenis en het is door veel culturen gebruikt. Een bordje aan de muur legt iets uit over dit symbool, dat hier de Noorse naam Fylfot draagt (vier voeten). In Nederland zou deze vloer zonder twijfel na de oorlog ten prooi zijn gevallen aan de sloop, maar in Australië werd de Tweede Wereldoorlog anders beleefd. De belangrijkste dreiging kwam van Japan en er is op Australisch grondgebied niet echt gevochten.

ℹ CUSTOMS HOUSE, 31 Alfred Street, tel. 9242 8595, www.cityofsydney.nsw.gov.au/customs-house. Geopend: ma–vr . 8–24 za. 10–24, zo. 12–17 uur.

## Justice & Police Museum

Vlak bij het Customs House, op de hoek van Albert Street en Phillip Street, ligt het Justice & Police Museum van Sydney. Het museum was vanaf 1856 een (water) politiebureau en een politierechtbank. Nu kun je er in het weekend rondneuzen in de criminele geschiedenis van de stad. Er is een rechtszaal, er zijn cellen, er zijn wapens en er zijn volop verhalen en foto's van Sydneys meest beruchte misdaden, zoals de *Pyjama Girl Murder*.

In september 1934 vond een voorbijganger het lichaam van een jonge vrouw, gekleed in een zijden pyjama. Haar gezicht was door onder andere een schotwond zo toegetakeld dat het voor de politie onmogelijk was om haar te identificeren. Met hulp van een dodenmasker en met tekeningen probeerde de politie over heel de wereld de naam van de vermoorde vrouw boven water te krijgen. Tevergeefs. De zaak trok veel aandacht van de media en de toenmalige hoofdcommissaris van de politie raakte door de zaak geobsedeerd. Hij moest en zou de dader vinden. Om het onderzoek niet te frustreren, werd het lichaam van de vrouw tien jaar lang in een formalinebad bewaard op de Universiteit van Sydney. Uiteindelijk werd een Italiaan veroordeeld voor de moord, maar deskundigen twijfelen sterk of hij de werkelijke moordenaar is. Volgens hen heeft de hoofdcommissaris de bewijzen bij elkaar verzonnen, om maar iemand te kunnen veroordelen.

Liefhebbers van *Opsporing Verzocht* en Peter R. de Vries kunnen in het Justitie en Politie Museum dus hun hart ophalen.

ℹ JUSTICE & POLICE MUSEUM, hoek Albert Street en Phillip Street, Circular Quay, tel. 9252 1144,

*Op een van de vele bankjes kan het aanmeren en vertrekken van de veerboten worden gadegeslagen.*

uit Northern Territory. Er zijn bijna elke dag (gratis) rondleidingen, waarin vrijwillige gidsen op een luchtige wijze het tentoongestelde werk toelichten.

In het **First Fleet Park** voor het museum zijn wat oude stenen bewaard gebleven. Zo ligt er een gevelsteen, die gouverneur Lachlan Macquarie van New South Wales in 1830 heeft gelegd. Verder trekt het standbeeld van Arthur Phillip de aandacht. Het standbeeld zelf is weinig verrassend, maar het was Phillip die hier met zijn gevangenen op de Eerste Vloot in 1788 voet aan wal zette. Later werd hij de eerste gouverneur van het nieuwe land. Dit is dus met recht een historische plek.

In de schoolperiode is het een komen en gaan van geüniformeerde leerlingen die verplicht stilstaan bij het standbeeld. De docenten plaatsen de bronzen Phillip in een perspectief. Hij was de eerste gouverneur, maar was hij ook de eerste bewoner? Nee, weten de kinderen, dat waren de Aborigines. Heel goed.

Het plein voor het museum is ook een aantrekkelijke plek voor een snelle lunch. Natuurlijk kun je neerstrijken op een van de terrasjes en veel geld neerleggen voor een kopje koffie. Je kunt ook even George Street inwandelen en op zoek gaan naar The Bakers Oven Café op nummer 121. Daar maken ze lekkere broodjes en kun je koffie in een beker kopen voor de helft van de terrasprijs en net zo lekker. Laat alles inpakken en neem de lunch mee naar een halfronde stenen bank die een paar

www.hht.net.au. Geopend: za.–zo. 10–17, in januari dag. 10–17 uur.

## Museum of Contemporary Art

Aan de andere kant van Circular Quay, onder aan de voet van de Harbour Bridge, ligt het pompeuze Museum of Contemporary Art. Dit museum voor hedendaagse kunst is gratis toegankelijk en herbergt boeiende collecties van kunstenaars uit heel de wereld. De kern van het bezit is de J. W. Power collection, een Australische kunstenaar die wilde dat de Australische bevolking in contact kon komen met de hedendaagse kunst. De nadruk ligt op de periode na 1960 en de verzameling bestaat uit schilderijen en schetsen van Power zelf en internationale kunstenaars als Andy Warhol, Roy Lichtenstein en Keith Haring. Het museum besteedt veel aandacht aan Aboriginal kunst. Het beheert de collecties van Maningrida en Ramingining, volkeren

honderd meter verderop aan het water ligt. Een mooier plekje is er niet. In het voorjaar bloeit de jacaranda met zijn paarse bloemen en varenachtige bladeren. Deze boom is op veel plaatsen in Sydney als laanboom aangeplant. Schepen varen af en aan en het Opera House toont zich in alle pracht.

ℹ️ MUSEUM OF CONTEMPORARY ART, Circular Quay West, tel. 9245 2400, www.mca.com.au. Geopend: dag. 10–17 uur.

## VAREN DOOR DE HAVEN

Bijna alles wat vaart, drijft en passagiers meeneemt, vertrekt vanaf Circular Quay. Dit is het vertrek- en aankomstpunt van de veerboten van Sydney Ferries. Vanuit Circular Quay doen zij de hele haven van Sydney aan: van Manly en Watsons Bay vlak bij de monding van de haven in de zee, tot aan Parramatta ruim 30 km in het verre westen van de stad. Een tochtje met de ferry is een must voor elke bezoeker; de overtocht naar Manly staat nummer één, de trip naar Parramatta twee.

Verder leggen hier de luxe cruiseschepen aan die Sydney aandoen. Vanaf de Quay vertrekken ook talrijke havencruises. De concurrentie is moordend, de tarieven zijn niet navrant laag.

Zo zijn er diverse rondvaarten mogelijk door de haven, boten dus waarop een gids uitlegt wat er te zien is en die weer terugkomen op het punt van vertrek. Een grote firma is **Matilda Cruises** die onder meer een één uur durende rondvaart door de haven heeft en daarbij Darling Harbour, de dierentuin, Watsons Bay en het Opera House aandoet. Met deze firma is het ook mogelijk om door de haven te zeilen op een catamaran. De ruim een uur durende tocht (met gratis koffie, thee, scones en koekjes) vaart de hele haven door ten oosten van de brug tot Watsons Bay.

Matilda biedt verder tochtjes aan naar **Shark Island**, een eilandje in de haven van Sydney. Het is een nationaal park en Sydneysiders gaan er vaak heen voor een picknick. Wie van tevoren boekt, kan een picknickmand bestellen.

De andere grote rederij is **Captain Cook Cruises**. Deze biedt een aantal rondvaar-

*Overal op Circular Quay kun je kaartjes kopen voor een rondvaart door de haven.*

ten aan door de haven. De populairste is door de Main en Middle Harbour en duurt 2,5 uur (met thee of koffie). Je vaart dan diep een baai in aan de noordkant van de stad. Daarnaast zijn er talrijke kortere en goedkopere waterexcursies te maken. Wie luxueus en duur wil doen, kan ook dineren aan boord. Voor ieder wat wils: een diner bij zonsondergang, een diner onder de sterren, het aantal mogelijkheden is onbeperkt. De prijzen zijn hoog.

Iets goedkoper is **Magistic Cruises,** die een Total Harbour Experience van twee uur met een gratis biertje aanbiedt. Ook deze firma heeft goedkopere kortere rondvaarten, bijvoorbeeld een uur durende rondvaart.

Varen door de haven kan minder gezapig dan met een rustig kabbelende catamaran. Wie het water wil zien opspatten, gaat met een jetboat door de haven over de golven ketsen. Dan gaat het niet meer om wat er te zien is, maar om de opwinding van keihard varen door de golven en wie weet nat worden. De jetboten zuigen water aan en spuiten dat weer weg om snelheid te krijgen (75 km/uur). Dit is typisch Down Under-vertier, waarbij de *thrill* voorop staat. Bijzonder zijn de bochten van 270 graden en het snelle stoppen.

Deze funattractie is te boeken bij **Sydney Jet**. Deze vaart vanuit Cockle Bay en biedt de keuze uit een Adventure Thrill van 55 minuten of een Jet Thrill van 45 minuten. Het verschil is dat de korte tocht alleen met veel schuim rondvaart, scherpe bochten maakt en snel remt, de lange doet dat ook, maar laat nog iets van de omgeving zien. Minimumlengte van de passagier is 130 cm, dit in verband met de veiligheid en er passen twaalf mensen op een boot. En ja je wordt nat, dus houd daar rekening mee.

Bij **Harbour Jet** duurt de kortste tocht maar 35 minuten. Langer kan ook. De prijzen zijn vergelijkbaar met de concurrent.

**Jet Boating** vertrekt van Circular Quay en heeft excursies van 30 minuten. Op deze boten passen 58 passagiers.

En dan zijn er natuurlijk nog de **watertaxi's,** de gele boten die je brengen waar je maar wilt in de haven. Altijd handig, niet goedkoop. Reken op 12,50 tot 20 Au$ per persoon naar een bestemming in de buurt met een minimum van 50 Au$ voor vier personen.

De waterliefhebber die nog niet genoeg heeft gehad, kan altijd nog op een vlot een woest stromende rivier bevaren. Alles is mogelijk in Sydney. De rivier is in Penrith, in het uiterste westen van de stad aan de voet van de Blue Mountains, zo'n 50 km uit het centrum. Voor de Olympische Spelen is daar een wildwaterrivier aangelegd voor de onderdelen kanovaren en kajakvaren. Deze attractie, **McCarthy's lane, Cranebrook,** haalt het niet bij het echte wildwatervaren, zoals in het noorden van Queensland of in Nieuw-Zeeland, maar deze rivier is wel om de hoek, voor Australische begrippen dan. Reserveren is verplicht.

ⓘ MATILDA CRUISES, tel. 9264 7377, www.matilda.com.au.
CAPTAIN COOK CRUISES, tel. 9206 1111, www.captaincook.com.au.
MAGISTIC CRUISES, tel. 8296 7222, www.magisticcruises.com.au.
SYDNEY JET, tel. 9938 2000, www.sydneyjet.com.
HARBOUR JET, tel. 1 300 887373, www.harbourjet.com.
JET BOATING, tel. 1300 556 111, www.ozjetboating.com.
YELLOW WATER TAXIS, tel. 9299 0195, www.yellowwatertaxis.com.
MCCARTHY'S LANE, Cranebrook, tel. 4730 4333, www.penrithwhitewater.com.au.

## EILANDEN IN DE HAVEN VAN SYDNEY

In Port Jackson, de natuurlijke baai bij Sydney, liggen de nodige kleine eilanden. Ze zijn alle onbewoond, soms bebouwd

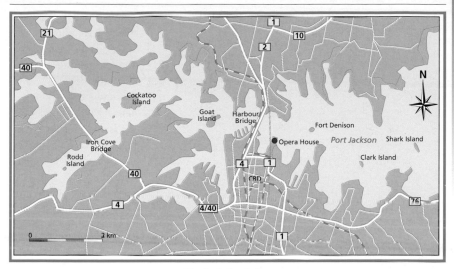

*Eilanden in Port Jackson*

met militaire stellingen, een gevangenis of soms een boerderij; het zijn geliefde plekken voor een excursie of een picknick. Je bent weg uit de drukte, maar zit toch in de stad. Een aantal van de eilanden is in beheer bij de NSW National Parks and Wildlife Service, die het bezoek aan de eilanden reguleert.

Op **Shark Island** worden de meeste bezoekers (maximaal 500 per keer) toegelaten. Het anderhalve ha grote eiland heeft de vorm van een haai. Het was een lastig obstakel in de haven, omdat het water om het eiland ondiep is. Tot 1975 werden op dit eiland dieren in quarantaine gehouden, voordat ze het vasteland op mochten. Daarna werd het eiland onderdeel van het Sydney Harbour National Park. De uitzichttoren, met plaats voor 30 mensen, biedt een mooie blik over de haven. Verder is het eiland een geliefde picknickplaats. Er is op zaterdag en zondag een regelmatige veerdienst van Matilda Tours naar het eiland.

**Clark Island** is ook elke dag te bezoeken. Dit eiland ligt vlak bij Darling Point bij Double Bay. Een luitenant van de eerste vloot, Ralph Clark, probeerde op dit eiland

een groentetuin aan te leggen, maar dat was geen succes. De behoefte aan verse groente was zo groot, dat zijn gewassen voortdurend werden gestolen, maar het eiland heeft zijn naam behouden. Ook hier kan worden gepicknickt.

**Rodd Island** ligt een stukje landinwaarts vlak achter de Iron Cove Brug, de eerste vaste-oeververbinding tussen Noord- en Zuid-Sydney. Op het eiland (0,5 ha) mogen maximaal 100 mensen per keer en ze kunnen daar zomerhuisjes zien uit het begin van de jaren twintig. Bijzonder is een gebouw in koloniale stijl uit 1899.

Clark en Rodd Island zijn alleen te bereiken met een eigen boot of met een watertaxi met een speciale vergunning. Het bezoek moet van tevoren worden gemeld bij de Park Service en er moet dan een toegangsprijs van 5 Au$ per persoon worden betaald. Die organisatie houdt in de gaten dat er niet te veel mensen tegelijk op het eiland zijn.

**Fort Denison**, vlak bij het Opera House, is alleen onder begeleiding te bezoeken. Hier werden misdadigers gestraft en in 1842 is er een fort gebouwd om Sydney Cove (Circular Quay) te beschermen. Na 1870 ver-

*De overtocht per ferry naar Manly is een must voor elke bezoeker.*

het voormalige gebouw van de havendienst en de waterpolitie. De datum van heropening is niet bekend.

Een ander eiland dat de aandacht trekt, is **Cockatoo Island** in het westen van de haven. Dit eiland is in beheer bij de Harbour Trust. Dit is het grootste eiland in de haven en is de afgelopen eeuwen gegroeid van 12 tot 17 ha. Dit eiland staat in de belangstelling, omdat het is gebruikt om mensen gevangen te zetten. In 1847 werd een scheepsdok gebouwd, Australisch eerste grote dok. De gevangenen moesten hier werken. Later werd het eiland gebruikt door de marine en in de Tweede Wereldoorlog was dit de belangrijkste scheepswerf in de Pacific, nadat Singapore was veroverd door de Japanners. In 1992 sloot de werf; de HMS *Success* was het laatste schip dat er is gebouwd. Daarna kwam het eiland in handen van de Harbour Trust. Op zaterdag en zondag zijn er excursies naar het eiland, die te boeken zijn op het nummer van de Trust.

ⓘ NSW NATIONAL PARKS AND WILDLIFE SERVICE, tel. 9247 5033, www.nationalparks.nsw.gov.au. HARBOUR TRUST, tel. 8969 2100, www.harbour-trust.gov.au.

huisden de kanonnen naar het vasteland en bleef het eiland leeg achter. Nu is er van maandag tot en met vrijdag een excursie naar het eiland, die vertrekt om 11.45 uur van Cadmans Cottage aan Circular Quay. De tocht duurt ongeveer 3 uur en op het eiland is een eenvoudig café.

Ook **Goat Island,** vlak onder de kust van Balmain, is alleen onder begeleiding van een gids te bezoeken, maar dit eiland is voor onbepaalde tijd gesloten voor herstelwerkzaamheden van het kruitmagazijn en

*Brug bij zonsondergang*

# IN HET SPOOR VAN DE ABORIGINES

Het is eigenlijk een beetje treurig, maar de doorsneetoerist in Sydney ziet amper iets terug van de oorspronkelijke bewoners van Sydney: de Aborigines. Misschien wat felgekleurde 'Aboriginal kunst' in de souvenirshop. Of de Aboriginal artiest die steevast op Circular Quay in traditionele outfit zijn didgeridoo speelt. Maar dan houdt de kennismaking met de oorspronkelijke cultuur ook op.

Voor de komst van de Europese kolonisten woonden in Australië volgens wetenschappelijke schattingen ongeveer 750.000 *Indigenous People*, zoals de huidige terminologie is. Na een jarenlange teruggang is dat aantal nu weer bereikt; het grootste deel (29 procent) woont in New South Wales.

De eerste bewoners kwamen waarschijnlijk 45.000 tot 60.000 jaar geleden in bootjes overgestoken van de oostelijke Indonesische eilanden en Nieuw-Guinea. In die tijd lagen Indonesië en Australië bijna aan elkaar vast, zodat de overtocht minder ver was dan nu. Niettemin staan wetenschappers verbaasd dat de Aborigines erin slaagden om per boot het onbekende land te bereiken.

De eerste bewoners van Australië verspreidden zich langzaam maar zeker over het enorme continent en pasten zich generatie na generatie bewonderenswaardig aan alle ontberingen (hitte, droogte) aan. De Aboriginal cultuur is gebaseerd op wat *Dreaming* wordt genoemd. Alles heeft zijn eigen verhaal en (spirituele) betekenis: rivieren, bergen, planten en dieren, rotsformaties en bomen, lucht, aarde en hemel. Het respect voor de natuur stond in alles centraal. De verhalen over Dreaming werden generatie op generatie overgebracht met muziek, dansen, rotstekeningen en ceremonies.

## Niet vrolijk

Wie tegenwoordig op zoek gaat naar Aboriginal sporen in Sydney wordt meestal niet vrolijk. In de wijk Redfern, niet ver van het Centraal Station, wonen Aborigines, maar ze leven vaak in de marge van de grote stad. De wijk heeft een slechte naam. In 2003 waren er nog rellen waar Aborigines vochten tegen de politie. Nog steeds mijden veel Sydneysiders dit stukje van hun stad. Ze denken dat het gevaarlijk is, maar dat valt natuurlijk wel mee. Echt gezellig is weer het andere uiterste.

Wie in Redfern via de hoofduitgang het station verlaat, kan naar links lopen. Daar zitten de Aborigines op een mooie dag buiten. Wat ze doen? Het is onduidelijk.

Werkloosheid, alcoholisme, criminaliteit, verpaupering, discriminatie; de negatieve spiraal lijkt onomkeerbaar. De gemiddelde levensverwachting van de Aborigines ligt maar liefst zeventien jaar lager dan van de blanke Australiër (mannen 59,4 jaar, vrouwen 64,8 jaar).

## Kunst

In de toeristenfolders over Sydney wordt natuurlijk met geen woord gerept over het verval van de oorspronkelijke bewoning. Het accent ligt op de leuke, vrolijke kant. De Aboriginal kunst dus. Veel daarvan is in Sydney te koop. Het is moeilijk om echt van nep te onderscheiden: niet elke boemerang met gekleurde stippen is door een echte Aboriginal kunstenaar gemaakt. De win-

kels met de beste repu-
tatie op een rijtje:
*Aboriginal Art Shop,*
Upper Concourse, Syd-
ney Opera House (tel.
9247 9625);
*Bandigan Aboriginal
Art & Craft,* 39 Queen
Street, Woollahra (tel.
9328 4194);
*Blue Gum Designs Abo-
riginal Art Gallery,*
shop 47-51, tweede ver-
dieping, Queen Victoria
Building (tel. 9264
9018);

*De onvermijdelijke Aboriginal kunstenaar op Circular Quay*

*Gannon House Gallery,* 45 Argyle Street,
The Rocks (tel. 9251 4474);
*Pitt Street Gallery,* 42 Pitt Street (tel. 9251
4474);
*Ulladulla Aboriginal Art Gallery,* shop 13,
Opera Quays, 2 East Circular Quay (tel. 9251
0511).
Tentoonstellingen over de kunst en het le
ven van de Aborigines zijn te vinden in de
*Art Gallery of New South Wales' Yiribana
Gallery,* het *Australian Museum,* het *Powerhouse Museum,* het *Museum of Sydney* en
het *Australian National Maritime Museum.*
De tentoonstelling in het Australian Museum geeft de beste inzichten in de Aboriginal cultuur en leefwijze en is daarom een
waardevolle bron van informatie.

### Dans/eten

Op cultureel gebied zijn er meer Aboriginal
invloeden te vinden. De bekendste Aboriginal dansgroep heet *Bangarra* en heeft zijn
theater in Sydney Harbour: The Wharf
(werf 4 en 5) Walsh Bay. De groep treedt ook
regelmatig op in het Opera House, tel. 9251
5333, www.bangarra.com.au.
Aboriginal eten (met onder meer gerooster-
de emoe en kangoeroevlees) kan ook in Sydney:

*Gunya Restaurant,* 106-110 George Street in
Redfern (tel. 9690 0610);
*Deep Blue Bistro,* 56 Carr Street, Coogee (tel.
9315 8811);

### Rotstekeningen

Zijn er dan helemaal geen tastbare herinne-
ringen aan de vroegere Aboriginal bewoners in Sydney en omgeving? Gelukkig wel.
Er zijn 2000 rotstekeningen bewaard geble-
ven. In de stad zelf kun je die zien in de wijk
Bondi. Aan de noordkant ligt een golfbaan
met een grote schoorsteen. Bij die schoorsteen is een rotsplateau te vinden waarin
een walvis is gegraveerd.
Ook op de wandelroute tussen Bondi en
Coogee (zie p. 141) zijn tekeningen te zien.
Even buiten Sydney kun je tal van Aboriginal rotssporen vinden in het Ku-ring gai
Chase National Park, op de weg naar West
Head (tel. 9472 8949), evenals in het Royal
National Park bij het Port Hacking Point (tel.
9542 0648) (zie p. 171).
Wie onder begeleiding van een Aboriginal
gids op verkenning wil gaan, kan een 8 uur
durende tocht maken door de Blue Mountains. De wandeling begint op het Faulcon-
bridge Railway Station, reserveren is nodig:
tel. 0408 443822.

# 3

# Tussen de wolkenkrabbers

Het Central Business District (CBD) van Sydney is zeker niet het charmantste deel van Sydney. De hoge, vaak fantasieloze kantoorgebouwen, het kaarsrecht aangelegde wegenpatroon, de gehaaste zakenmannen die buiten het kantoor nerveus een sigaret roken, de talloze auto's met hun uitlaatgassen: de binnenstad van Sydney is vaak geen lust voor het oor en het oog. Maar met een beetje volhouden en zoeken, kun je toch een paar leuke uurtjes beleven in downtown Sydney. Ondanks alle strakke nieuwbouw is er nog heel wat Australische historie op te snuiven.

## TOWN HALL

Hoewel het CBD van Sydney door beton, glas en staal wordt gedomineerd, zijn er veel interessante (en relatief oude) gebouwen te vinden. Neem Town Hall, het victoriaanse stadhuis van Sydney dat in 1869 werd geopend. De trappen van Town Hall zijn een populaire plek om af te spreken en de klokkentoren van het stadhuis uit 1884 (ontworpen door de broers Bradbridge) is voor veel inwoners een vertrouwd baken. De gemeenteraad van Sydney vergadert hier en er vinden tal van (culturele) evenementen plaats.

Binnen is de **Centennial Hall** het pronkstuk van het stadhuis en dan vooral het even imposante als immense orgel. **The Grand Organ** werd in 1890 gebouwd door William Hill en Zonen in Londen en telde ongeveer 1870 pijpen. Het orgel was daarmee destijds het grootste ter wereld. Organist W.T. Best uit Liverpool, in die tijd 's werelds beroemdste organist, had de eer om op 9 augustus 1890 het eerste concert op het nieuwe orgel te geven voor 4000 be-

◀ *'s Ochtends vroeg in het Central Business District (CBD)*    ▲ *Het zakencentrum van Sydney*

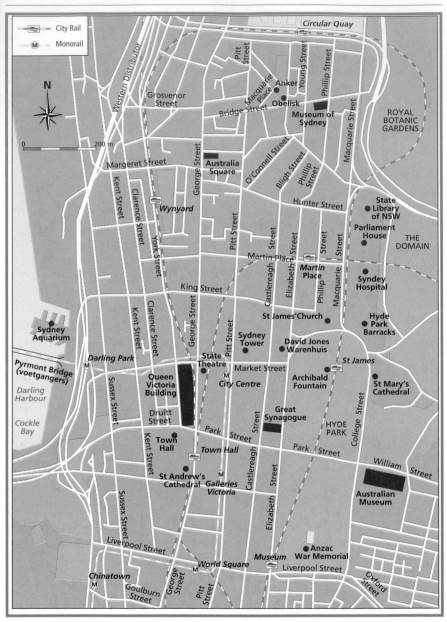

*Tussen de wolkenkrabbers*

zoekers. De plaatselijke krant schreef dat het orgel 'de nieuwste attractie van de stad' was.

Van 1972 tot en met 1982 onderging het orgel een langdurige en kostbare renovatie. Nog altijd is The Grand Organ het pronkstuk van Town Hall. Kenners zien het als 'een van de mooiste 19de-eeuwse romaanse concertorgels ter wereld'.

ℹ TOWN HALL, 483 George Street, tel. 9265 9333, www.cityofsydney.nsw.gov.au. Geopend: ma–vr. 8.30–18 uur.

## St Andrew's Cathedral

Naast Town Hall ligt St Andrew's Cathedral, de oudste kathedraal van Sydney. De kerk in de vorm van een kruis zou volgens de eerste plannen veel eerder dan in 1868 worden ingewijd. De eerste steen werd namelijk al in 1819 gelegd. Maar de oorspronkelijke plannen waren te ambitieus. Na veel soebatten kreeg architect Edmund Blacket uiteindelijk in 1849 de opdracht om de kerk te bouwen. Blacket liet zich bij zijn schetsen leiden door onder meer de kathedraal van York in Engeland.

De kathedraal, de hoofdzetel van de anglicaanse kerk in Sydney, is tussen 1999 en 2000 grondig gerenoveerd. Alle muren en ramen werden daarbij met de hand gewassen. De kerk heeft een groot orgel uit 1866 en kent een paar grappige details. Zo zijn er in de zuidelijke muur stenen verwerkt van enkele prominente gebouwen in Londen: het House of Lords en de Westminster Abbey. En binnen is er een bijbel te vinden uit 1540.

ℹ️ ST ANDREW'S CATHEDRAL, hoek George Street en Bathurst Street, tel. 9265 1661, www.cathedral.sydney.anglican.asn.au.

## MACQUARIE STREET

Volgens de boekjes was de Macquarie Street, vernoemd naar Sydneys gouverneur Lachlan Macquarie, in 1860 'een van de somberste en vuilste straten van Sydney'. Nu staat dezelfde straat bekend als 'wellicht de elegantste straat van Sydney'. Macquarie Street is de straat van de Britse architect Francis Greenway. Greenway werd volgens de verhalen in 1807 in Engeland ter dood veroordeeld wegens het vervalsen van financiële documenten. Hij ontliep de strop, maar kreeg wel veertien jaar verbanning naar de strafkolonie Sydney, waar hij in 1814 aankwam.

De kwaliteiten van Greenway bleven niet onopgemerkt. In korte tijd ontpopte hij zich tot de 'hofarchitect' van de Britse ko-

---

### OVER EFTPOS EN GST

Wie in Sydney rondwandelt, ziet een hoop afkortingen op zich afkomen. Iedereen weet wat die betekenen, behalve de net aangekomen toerist natuurlijk.

Een kort lijstje om te helpen:

EFTPOS: Electronic Transfer at Point Of Sale. Pinnen dus.

BYO: Bring Your Own (📖 p. 100).

ABN: Australian Business Number.

GST: Good and Service Tax, zeg maar de btw.

NSW: New South Wales, de staat waarvan Sydney de hoofdstad is. De andere staten heten afgekort ACT (Australian Capital Territory, Canberra); Vic (Victoria, Melbourne); SA (South Australia, Adelaide); WA (Western Australia, Perth); NT (Northern Territory, Darwin) en Tas (Tasmanië, Hobart).

AEST: Australian Eastern Standard Time, de tijdzone van Sydney (het tijdverschil met Nederland is in de Australische winter plus acht uur).

AEDT: Australia Eastern Daylightsaving Time, de tijdzone van Sydney in de zomer van eind oktober tot eind maart (het tijdverschil met Nederland is dan tien uur).

---

lonie. Greenway ontwierp meer dan 40 gebouwen in Sydney, waarvan elf nog te zien zijn. De Britten waren zo in hun sas met hun nieuwe architect, dat de koning hem in 1819 gratie verleende. Greenway zou snel alle sympathie verspelen door buitensporige prijzen te vragen voor zijn ontwerpen. Hij stierf arm als een rat in 1837.

## Hyde Park Barracks

Aan de Macquarie Street, aan de kant van het Hyde Park, zijn Greenways belangrijkste wapenfeiten te zien. De Hyde Park Barracks is het beroemdste gebouw van Greenway. Hij bouwde de barakken tussen 1817 en 1819. Dit was oorspronkelijk het onderkomen van 600 mannelijke *convicts*, veroordeelden dus die in Sydney dwangarbeid moesten verrichten. In hang-

*Macquarie Street met daarachter Sydney Tower*

ren die de veroordeelden destijds zouden hebben gemaakt. Op een andere verdieping kan de bezoeker zien hoeveel oude voorwerpen uit de grond kwamen, toen het gebouw jaren later werd gerestaureerd. De tentoonstelling is niet spectaculair, maar geeft een aardige indruk van hoe het ooit was. Het gebouw van Greenway, het pronkstuk van Sydneys oudste geschiedenis, herbergt verder een galerie met hedendaagse kunst en een café.

ⓘ HYDE PARK BARRACKS, Queens Square, Macquarie Street, tel. 8239 2311, www.hht.net.au. Geopend: dag. 9.30–17 uur.

## St James' Church

Aan de overkant van De Barracks, een beetje verscholen achter een plein, ligt een andere markante erfenis van Greenway: de St James' Church, de oudste kerk van Sydney. De kerk was eigenlijk in 1819 ontworpen als gerechtsgebouw; de stenen waren eigenhandig door de veroordeelden uitgehouwen. Toen de bouw van een andere kathedraal niet doorging, kreeg Greenway in 1820 de opdracht om van het gerechtsgebouw een kerk te maken. Hij deed er vier jaar over en het resultaat is volgens de kenners een 'sobere, maar elegante kerk'.

De kerk is in de 20ste eeuw uitgebreid met een fraaie, glazen kapel, waar dagelijks gebedsvieringen worden gehouden. St James'

matten sliepen zij als haringen in een ton op de bovenste verdieping, bewaakt door bewapende soldaten. Wie zich niet hield aan de strenge regels, kon rekenen op zweepslagen of eenzame opsluiting. Later, toen Groot-Brittannië stopte met het zenden van gevangenen, werd het gebouw het onderkomen voor onder meer Ierse weeskinderen en alleenstaande vrouwen die in Sydney arriveerden.

De Barracks is nu een **museum**, waar de makers geprobeerd hebben de sfeer van toen na te bouwen. Op de bovenste verdieping zijn nog steeds rijen met hangmatten te zien; luidsprekers laten de geluiden ho-

heeft verder gebrandschilderde ramen, die lucht, water, aarde en vuur voorstellen. In de kerk zijn in de muur overal marmeren gedenkplaten te zien van (rijke) overledenen. Platen van ontdekkingsreizigers bijvoorbeeld, of van de gouverneursvrouw die tragisch overleed, toen ze uit haar koets viel.

ℹ️ ST JAMES' CHURCH, 179 King Street, tel. 9232 3022, www.stjameschurchsydney.org.au. Geopend: dag. 8.30–17.30, een rondleiding met een gids dag. om 14.30 uur.

*Detail op de gevel van het Sydney Hospital*

## Sydney Hospital

Centraal in Macquarie Street stond en staat Sydney Hospital, het oudste ziekenhuis van Australië. In de 19de eeuw was het Sydney Hospital een enorm zandstenen gebouw. Het was gebouwd in opdracht van gouverneur Macquarie, die zich zorgen maakte over de gezondheidssituatie in de nieuwe kolonie. De bouw van het hospitaal had door geldgebrek heel wat voeten in de aarde. De bevolking sprak van het 'Rumhospitaal', want de aannemers van het gebouw kregen niet uitbetaald in geld. Ze verkregen van de overheid het monopolierecht om rum in te voeren en te verhandelen, wat een aardige duit opleverde.

Het ziekenhuis (het is onbekend wie de architect is) was na zijn opening in 1816 direct het mikpunt van kritiek. De critici, aangevoerd door de nieuwe stadsarchitect Greenway, vonden de constructie wankel en waarschuwden dat het hospitaal kon instorten. Vier jaar later begonnen al de eerste herstelwerkzaamheden.

## Sydney Mint

Het ziekenhuis is nu opgedeeld in drie verschillende gebouwen. De vroegere zuidvleugel van het Rumhospitaal werd in 1854 het onderkomen van Sydney Mint, de munt van Sydney. Na de vondst van goud in New South Wales in 1851 was er behoefte aan een plaats waar het gevonden goud tot goudstaven en munten kon worden gesmolten. De Britse autoriteiten waren bang dat er een zwarte markt in goud zou ontstaan en dat het geldsysteem zou worden ondermijnd. De Britse regering besloot daarom in 1853 om in Sydney een eigen munt te stichten.

Twintig ambtenaren vertrokken naar Sydney om de klus te begeleiden. Hun oog viel op de zuidvleugel van het hospitaal. Het gebouw werd daarmee de eerste buitenlandse vestiging van de Britse koninklijke Munt. In december 1926 verhuisde de instelling naar de hoofdstad Canberra, waar de Munt van de Commonwealth of Australia werd gevestigd.

Daarna kwamen er regeringskantoren in het statige gebouw, maar vervolgens kwam de klad erin. Na een renovatie is Sydney Mint in handen gekomen van de organisatie die zich bezighoudt met het beheer van historische gebouwen in New

*Replica van Il Porcellino, het beroemde bronzen everzwijn in Florence. Zijn snuit glanst van het vele aanraken. Dat zou geluk brengen.*

South Wales (Historic Houses Trust). In de Munt is een café en er is een kleine (gratis) tentoonstelling te zien.

ⓘ THE MINT, 10 Macquarie Street, tel. 8239 2288, www.hht.net.au. Geopend: ma.–vr. 9–17 uur.

### Stadsziekenhuis

Het middenstuk van het oorspronkelijke ziekenhuis, waar ooit 200 patiënten lagen, werd in 1874 gesloopt en in 1894 vervangen door een nieuw hospitaal. **Sydney**

Hospital doet nog altijd dienst als stadsziekenhuis en als ooghospitaal. Kunstliefhebbers zijn verrukt over de felgekleurde artdecofontein op de binnenplaats.

De meeste toeristen en wandelaars komen meestal niet verder dan het bronzen everzwijn met zijn glimmende snuit dat voor het hospitaal staat. Het everzwijn, **Il Porcellino**, is een replica van een eeuwenoud beeld in de Uffizi, het beroemdste museum in het Italiaanse Florence. De Italiaanse markiezin Clarissa Torrigiani gaf de replica in 1968 aan het ziekenhuis. Ze zou er zeven jaar voor gespaard hebben. Het bronzen everzwijn was een eerbetoon aan haar vader en broer, die jarenlang als chirurgen in het Sydney Hospital hadden gewerkt.

Dat de snuit zo glimt, komt door de duizenden handen die het beeld elke dag aanraken. Volgens de legende brengt het geluk als iemand de snuit van het beeld aait. Il Porcellino staat nu symbool voor de vriendschap tussen Australië en Italië. Het ziekenhuis verkoopt speciale Il Porcellinosouvenirs.

*In de entreehal van de State Library is in de marmeren vloer een landkaart van Abel Tasman te zien.*

ⓘ SYDNEY HOSPITAL, 8 Macquarie Street, tel. 9382 7111, www.seahs.nsw.gov.au.

## Parlementsgebouw

De noordvleugel van het vroegere ziekenhuis is het Parliament House geworden. Hier zetelt vanaf 1829 het parlement van de deelstaat New South Wales. Het zandstenen gebouw oogt statig, de deels gietijzeren gevel is er later aangebouwd. De lantaarns bij het gebouw zijn replica's van de 19de-eeuwse gaslantaarns die hier stonden. De buitenkant mag er klassiek uitzien, binnen is het parlement eigentijds en van moderne gemakken voorzien. De parlementariërs beschikken zelfs over een zwembad, waar zij op hun geheel eigen manier de gesprekken in de wandelgangen kunnen voortzetten.

Bezoekers kunnen de vergaderingen van het parlement bijwonen op de publieke tribune. Op de dagen dat er niet vergaderd wordt, zijn er (gratis) rondleidingen.

ⓘ PARLIAMENT HOUSE, Macquarie Street, tel. 9230 2637, www.parliament.nsw.gov.au.

## Bibliotheek

Tussen het parlement en de verderop gelegen Botanische Tuinen staat het imposante gebouw van de **State Library of New South Wales**, een van de oudste bibliotheken van Australië. De bibliotheek telt maar liefst ruim 5 miljoen voorwerpen, voornamelijk boeken en kaarten, maar ook koloniale kunstvoorwerpen. Er zijn ook de originele, handgeschreven logboeken van grote namen als Abel Tasman, James Cook en Matthew Flinders en de eerste redelijk volledige kaart van Australië gemaakt op basis van de ontdekkingsreizen van Abel Tasman die in 1642–1643 en 1644 twee grote reizen maakte langs het onbekende zuidland of Nieuw-Holland, zoals het toen nog werd genoemd. Op die reizen deed hij onder meer als eerste Europeaan Tasmanië en Nieuw-Zeeland aan.

Als eerbetoon aan de grote ontdekker van de 17de eeuw is in de marmeren vloer van de entreehal van de bibliotheek een enorme replica gemaakt van de kaart van Tasman.

Ook is hier de allereerste krant van Sydney te vinden, van 5 maart 1803. Helaas zijn deze pronkstukken niet te bekijken. De documenten zijn zo kwetsbaar, dat ze in een veilige, klimaat gecontroleerde, omgeving worden bewaard.

Om alles te kunnen herbergen heeft het museum spectaculair genoeg zes ondergrondse verdiepingen gebouwd. Die zijn niet voor het publiek toegankelijk. Wel (gratis) toegankelijk zijn de vijf galeries, waar gemiddeld drie tentoonstellingen tegelijkertijd worden gehouden.

ⓘ STATE LIBRARY OF NEW SOUTH WALES, Macquarie Street, tel. 9273 1414, www.sl.nsw.gov.au. Geopend: ma.–vr. 9–17, za.–zo. 11–17 uur.

## Macquarie Place Park

De meeste toeristen zien het over het hoofd, maar vlak bij Circular Quay ligt het oudste plein van Australië: Macquarie Place Park. Het kleine onopvallende plein ligt dan wel niet aan de Macquarie Street, maar is er wel nauw mee verbonden. Het is een klein driehoekig plantsoen aan de Bridge Street, een zijstraat van Macquarie Street. Op dit pleintje staat sinds 1818 een obelisk, vanwaar de afstanden over de weg in de kolonie New South Wales zijn gemeten. 'Alle wegen naar het binnenland van de kolonie zijn van hier berekend,' luidt het doeltreffende opschrift. Uiteraard is de aanduiding in mijlen.

Het gaat niet echt goed met de obelisk, een van de oudste bewaard gebleven voorwerpen van de kolonie. Het zachte zandsteen erodeert snel door invloeden van zout en vervuiling. Diverse studies zijn gedaan om de obelisk te beschermen, zoals het plaatsen van een dak of de constructie van een gebouw. Een ander idee is de bomen te kappen, zodat het zonlicht schadelijke organismen kan doden en het regenwater het zout kan wegspoelen. Het meest vergaande voorstel is de steen te vervangen door een replica en het origineel naar het museum te verplaatsen. Het laatste woord is nog niet gezegd, voorlopig staat de obelisk er nog.

Op dit plein is meer historie samengebald. Het grote anker op Macquarie Place is afkomstig van het vlaggenschip HMS *Sirius* van de Eerste Vloot, dat in 1788 in Sydney arriveerde. Het schip verging op de terugweg naar Engeland in 1790 bij Norfolk Island. Het anker is in 1907 geborgen en hier neergezet. Het kanon dat bij het anker staat, behoorde vermoedelijk tot de uitrusting van de Sirius.

## MODERNE ARCHITECTUUR

Wie al deze relatief oude gebouwen heeft bezocht, vraagt zich misschien af of Sydney geen spannende, hedendaagse architectuur kent. Zeker wel. Sommige architectuurliefhebbers raken nogal opgewonden van het **Australia Square** op 264 George Street van de architect Harry Seidler (ⵎ p. 20). Dit is de plek waar Sydney in de jaren zestig voor het eerst wolkenkrabbers bouwde. Ingeklemd tussen tal van hoge kantoorgebouwen, waaronder de ronde Tower Building met zijn kleurige muurschildering van de New Yorkse artiest Sol LeWitt in de lobby, is een plein gecreëerd. Het plein is halverwege de jaren negentig voor tientallen miljoenen euro's opgeknapt. Het heeft een fontein en talloze terrasjes, waar de zakenmensen in hun pauze een cappuccino of café latte drinken. Het uitzicht is torenhoog beton en staal, maar sommige liefhebbers noemen deze plaats Sydneys architectonische trots.

Op het plein zijn veel kunstwerken neergezet, volgens Seidler een eerbetoon aan de synthese tussen kunst en technologie.

Op de hoek met Bond Street staat een groot, opvallend, donker beeld genaamd *Crossed Blades*, gemaakt door de Amerikaan Alexander Calder. Aan de rand van het plein staat verder een grappig beeld van de Amerikaanse kunstenaar J. Seward Johnson jr: een zakenman die op een bankje de krant *The Australian* leest ('*awaiting*'). De bronzen man is met zijn Samsonite-koffertje en hoed naast hem tamelijk levensecht.

Voor een niet-alledaags diner met een 360-gradenuitzicht kun je 365 dagen terecht in het **Summit Restaurant.** Op 165 m hoogte draait het restaurant in zeven kwartier een rondje. Bij het voorgerecht heb je dus uitzicht op het Opera House, bij het nagerecht op de Blue Mountains. Het eten is behoorlijk en niet heel overdreven duur, maar in een korte broek en T-shirt mag je niet aan tafel komen. '*Smart dress code applies*' heet dat. Het Summit Restaurant verwierf faam met zijn opening: Sir Edmund Hillary, de eerste bedwinger van de Mount Everest, beklom het gebouw van buiten.

ⓘ AUSTRALIA SQUARE EN SUMMIT RESTAURANT, 47ste verdieping Australia Square, 264 George Street, tel. 9247 9777,
www.summitrestaurant.com.au.

## SYDNEY TOWER

Een van de belangrijkste toeristische attracties in het CBD is Sydney Tower: met zijn 305 m, de op een na hoogste toren op het zuidelijke halfrond. (De hoogste is de 325 m hoge Sky Tower in de Nieuw-Zeelandse stad Auckland.) De architect Donald Crone wilde Sydney in de jaren zestig letterlijk en figuurlijk een nieuw hoogtepunt geven. In een paar seconden ontwierp hij daarom een blikvangende toren voor het hart van de stad. De bouw ervan begon in 1975 en zes jaar later, in september 1981, was de opening van het goudkleurige gevaarte met zijn kabels een feit.

*Sydney Tower, in het midden van het zakencentrum*

kelijk is het zeker. Er is een koffieshop met broodjes en taartjes. Met een kaartje voor het observatiedek heb je ook toegang tot de attractie **OzTrek**, beneden in de Sydney Tower. In beweegbare bioscoopstoelen krijg je op een Disney landachtige manier wat hoogtepunten van Australië te zien. Het is allemaal nogal oubollig en zeker niet bijzonder, maar je hebt ervoor betaald, dus *who cares*? Dineren op grote hoogte kan ook: Sydney Tower heeft twee restaurants die langzaam ronddraaien.

### Skywalk

Sinds oktober 2005 biedt Sydney Tower een nieuwe attractie: de Skywalk. In navolging van het ongelooflijke succes van de Sydney Harbour Bridge Climb (een wandeling over de hoge bogen van de brug), kunnen bezoekers nu op 260 m hoogte buiten een wandeling maken. Na een uitgebreide intakeprocedure (inclusief een test om te kijken of je niet te veel alcohol hebt gedronken) maak je in een kleurige overall en vastgeketend aan een kabel een rondje om de Sydney Tower. Een altijd enthousiaste gids ('Hoe voelen we ons vandaag? Fantastisch!') gaat voorop en vertelt via de walkietalkie achtergronden bij het uitzicht over de stad. Sleutels, sieraden, portemonnees en fototoestellen mogen niet mee; die kunnen alleen maar naar beneden vallen. Onderweg maakt de gids daar-

Kosten: ruim 84 miljoen euro.
Een wonder van design is de Sydney Tower bepaald niet. Maar de toren met zijn 420 ramen kan wel mooi windsnelheden van 172 km/uur doorstaan. En de hoogte werkt als een magneet: ruim 17 miljoen mensen hebben inmiddels de Sydney Tower bezocht voor een mooi uitzicht over de stad. Drie kleine, snelle liften – dat scheelt 1504 traptreden lopen – vervoeren de toeristen naar het observatiedek op 250 m hoogte voor een panoramablik. Bij helder weer kun je 85 km ver kijken. Of het uitzicht 'adembenemend' is, zoals de advertenties zeggen, is de vraag, maar verma-

*In Hyde Park kan er met grote stukken worden geschaakt.*

om digitale foto's van de deelnemers, die na afloop tegen royale betaling te koop zijn.

Hoogtevrees moet je niet hebben, maar voor de rest is de Skywalk absoluut niet gevaarlijk. Naar beneden vallen is onmogelijk. Een glazen, uitschuifbare, vloer waarover je moet lopen, is het engste. Het uitzicht is zonder ramen beslist spectaculairder dan binnen. En het is grappig om het drukke stadsleven onder je voeten te aanschouwen: mensen zien er 260 m beneden je uit als drukdoende mieren en de auto's zijn dinky toys.

Je bent inclusief alle uitleg en voorbereidingen anderhalf uur bezig met je Skywalk. Daar betaal je ook voor. De Skywalk kost minimaal 109 Au$; in het weekend en 's avonds is de prijs zelfs hoger. Voor dat geld mag je dan wel naar Oztrek en naar het observatiedek om Sydney nog een keertje van bovenaf te zien, maar dan achter dik glas.

ⓘ SYDNEY TOWER, Centrepoint Podium Level, 100 Market Street, tel. 9333 9222,

www.sydneytoweroztrek.com.au. Geopend: dag. 9–22.30, za. tot 23.30 uur.
SKYWALK, www.skywalk.com.au. Geopend: dag. 9–22 uur.

## HYDE PARK

Het leuke van Sydney is dat drukte en relatieve rust binnen een paar minuten lopen zijn te vinden. Aan de rand van het CBD ligt Hyde Park: in vroeger tijden een exercitieterrein voor soldaten, een cricketveld en een paardenracebaan, nu een groene oase voor de gestreste stadsmens en uitgeputte toerist. Hier strijken in de lunchpauze tientallen zakenmensen neer om op het gras hun bekertje yoghurt of sandwich op te eten. Anderen luieren in de zon of zoeken koelte in de schaduw van de bomen. Overbekend van de plaatjes is verder het reuzenschaakspel. De denkers in het park slepen hun levensgrote schaakstukken over het zwart-witte bord, omringd door een even nieuwsgierig als kritisch publiek.

Hyde Park, het oudste openbare park in

Australië, is genoemd naar het beroemde Hyde Park in Londen, maar is veel kleiner. Het park telt 580 bomen. De 98 vijgenbomen op de Central Avenue, die dwars door het park loopt, vormen een prachtige natuurlijke triomfboog. De bankjes aan weerszijden van de laan zijn een geliefde plaats voor romantische stelletjes, lezers en zwervers.

Het park wordt trouwens stevig onder handen genomen. De bomen zijn allemaal ziek en zwak. Ze moeten worden vervangen, kondigde de gemeente Sydney in 2006 aan, nadat vier bomen waren omgevallen, gelukkig zonder slachtoffers te maken. De gemeente denkt jaren nodig te hebben om het groen in het park weer gezond te krijgen.

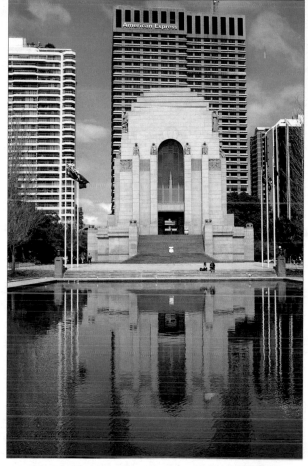

*Het ANZAC Memorial en de Reflection Pool in Hyde Park*

## ANZAC-oorlogsmonument

Het opvallendste gebouw in Hyde Park is zonder meer het oorlogsmonument voor de gevallen soldaten van het Australian and New Zealand Army Corps (ANZAC). Het ANZAC-oorlogsmonument is volgens de boekjes het mooiste voorbeeld van de art-decostijl in Australië. Het monument van ontwerper C. Bruce Dellit werd in november 1934 geopend om de tienduizenden Australische gesneuvelde soldaten in de Eerste Wereldoorlog te herdenken. Een eeuwige vlam binnen herinnert nu aan alle gevallen Australische soldaten in alle oorlogen, inclusief de oorlogen in Vietnam en Korea.

Het monument van beton en roze graniet is versierd met beelden van soldaten van de beeldhouwer Rayner Hoff (1894). Hij maakte ook het centrale beeld binnen in het monument: een naakte man met zijn armen op een zwaard, op een schild omhooggehouden door drie vrouwen (zijn moeder, zus en vrouw). Het beeld, symbool voor de teloorgegane jeugd, wekte destijds veel verzet van vooral de katholieke kerk. Conservatieve stromingen vonden een naakte man als oorlogsmonument provocerend en schokkend. Na veel wikken en wegen mocht het beeld blijven

## ANZAC DAY

Een van de belangrijkste feestdagen, waarbij het leven in Australië tot stilstand komt, is ANZAC Day op 25 april (www.anzacday.org.au). ANZAC staat voor Australian New Zealand Army Corps en op die dag wordt de invasie van Turkije door de geallieerde troepen in 1915 herdacht. Australië, toen nog een jonge staat, deed militair gezien voor de eerste keer mee op het wereldtoneel, waarbij gemakshalve de Australische inbreng in de Zuid-Afrikaanse Boerenoorlog wordt overgeslagen.

Op 25 april 1915 landden tienduizenden Australiërs en Nieuw-Zeelanders op de stranden bij de Turkse stad Gallipoli. Doel was de hoofdstad Constantinopel, nu Istanbul, in te nemen. Ze moesten het Turks-Ottomaanse rijk bestrijden, destijds een trouwe bondgenoot van Duitsland. Een succesverhaal was het niet. De geallieerden stuitten op fel verzet van de Turken en kwamen niet verder dan het strand. Na 7818 doden en 27.329 gewonden verlieten de Australiërs en hun bondgenoten na acht maanden het strijdtoneel. Zonder enig resultaat. Een hele generatie jonge, mannelijke Australiërs was weggevaagd of ernstig verminkt.

Op de 25ste april worden overal in het land (ook in de Gallipoli) bij het ochtendgloren bijeenkomsten gehouden, waar de gevallenen worden geëerd. In Sydney is de belangrijkste herdenking op Martin Place in het centrum, het plein waar alle grote gebeurtenissen worden gevierd. Het motto is: *Lets not forget* (Opdat we niet vergeten).

Later op de dag is er een optocht door Sydney naar het ANZAC Memorial in Hyde Park. Alle veteranen (de *diggers* zoals ze hier heten) die in de oorlogen hebben gevochten, mogen deelnemen. De optocht bestaat uit broze mannen, vaak beladen met medailles, die soms in hun rolstoel worden geduwd door een jonger familielid, of die in een jeep zitten. Ook jonge veteranen die aan recentere militaire operaties hebben deelgenomen (Korea, Vietnam, Oost-Timor) en dienstplichtige militairen lopen mee. Meestal maakt ook een groepje oud-strijders uit Nederland deel uit van de lange stoet. Dat zijn dan Nederlanders die na hun dienst in Australië zijn gaan wonen en de rood-wit-blauwe vlag hooghouden in de optocht.

Het publiek, veelal rijen dik opgesteld langs de wegen, zwaait met vlaggetjes naar de helden. Ook moet de parade duidelijk maken dat Australië klaar is om elke indringer te verjagen, getuige de pelotons soldaten die met mitrailleurs door de straten marcheren. Iedereen met een uniform mag op 25 april gratis in trein en bus en krijgt het eerste drankje in een café gratis. De nodige oud-strijders zijn na afloop dan ook redelijk beschonken.

staan, maar andere beelden van Hoff haalden het monument niet. Officieel omdat er geen geld voor was, officieus, omdat de beelden te naakt waren.

Voor het ANZAC-monument ligt een spiegelglad bassin, de **Pool of Reflection**, waarbij de bezoeker in gedachten kan wegzinken. In het monument zelf is in het onderste gedeelte gratis een kleine tentoonstelling te zien over de betrokkenheid van Australische soldaten in alle mogelijke oorlogen, van de Boerenoorlog in Zuid-Afrika tot en met de operatie in Irak. Elke dag om 11 uur is er in het museum een *act*

*of remembrance*. Verwacht geen spectaculair marcherende soldaten of ander militair vertoon; een medewerker van het museum draait om elf uur 's ochtends een cd met trompetmuziek *(The Last Post)* en een korte tekst.

### Fontein

Aan de andere kant van Hyde Park trekt een rijkelijk versierde fontein van de Franse beeldhouwer François Sicard de aandacht. Het waterkunstwerk werd in 1932 opgericht en betaald uit een legaat van J.F. Archibald, een vooraanstaand Australisch

*De Archibaldfontein in Hyde Park*

duurde het 33 jaar voordat de eerste steen voor deze kathedraal werd gelegd. De autoriteiten wilden hoe dan ook religieuze spanningen in de nieuwe kolonie voorkomen. Onder de *convicts* zaten ook overtuigde protestanten. Pas in 1820 werden de eerste priesters aangesteld en werden de eerste missen gelezen. Een jaar later, in 1821, vond toenmalig gouverneur Macquarie de tijd rijp voor de bouw van een kathedraal. Hij gaf een stuk grond aan de katholieke kerk en leg de de eerste steen van wat nu de St Mary's kathedraal is. De bouw van de zandstenen kerk in *Gothic Revival style* was een langdurige affaire. De eerste versie ging in juni 1865 in vlammen op. John Bede Polding, de eerste aartsbisschop van Sydney, gaf architect William Wardell opdracht een nieuwe versie te tekenen. Wardell was in die tijd een grote naam; hij had in Melbourne enige gebouwen op zijn naam staan, onder andere de St. Patrick's kathedraal. Wardell ging meteen ijverig aan de slag. Hij wilde geen kopie maken van een bestaande kerk in Europa. De kathedraal van Sydney moest in zijn ogen 'een uniek exemplaar' worden. Aartsbisschop Polding legde drie jaar later, in 1868, de eerste steen voor de creatie van architect Wardell. Die nieuwe kathedraal werd pas in 1882 geopend. Weer 46 jaar later, in 1928, was de kathedraal eindelijk helemaal gereed. Hoewel, helemaal... De twee zuidelijke torens die architect Wardell oorspronkelijk had getekend, werden uiteindelijk niet gebouwd.

literair journalist en oprichter van het nog steeds bestaande (opinie)weekblad *The Bulletin*. Naar hem is ook de meest prestigieuze kunstprijs van Australië vernoemd. Archibald wilde met de fontein de samenwerking tussen de Australische en Franse troepen in de Eerste Wereldoorlog herdenken. De zes water spuwende schildpadden en de grote bronzen beelden van mannen en vrouwen met wilde beesten, maken de fontein even indrukwekkend als verfrissend.

## St Mary's Cathedral

De bezoeker die Hyde Park bij de fontein verlaat, stuit meteen op Sydneys grootste kathedraal: de St Mary's Cathedral. Hoewel onder de allereerste kolonisten van de vloot uit 1788 heel wat katholieken zaten,

## Paus Johannes Paulus

Sindsdien is de kathedraal een geliefde bestemming voor honderdduizenden katholieken en toeristen. Niet voor niets bracht paus Johannes Paulus II twee keer een bezoek aan St Mary's: in 1986 en in 1995.

De kathedraal is 107 m lang en de hoogste torens zijn bijna 75 m hoog. Door de ligging van de kerk (noord-zuid) is het binnen overdag nogal donker: de zon schijnt alleen door de drie ramen aan de noordkant van de kerk. Maar 's ochtends als het zonlicht schijnt door de ramen aan de oostkant en later op de middag als de zon van de westkant komt, is het licht in de kathedraal des te mooier.

Behalve de glas-in-loodramen (gemaakt in Birmingham), verdient de gekleurde vloermozaïek in de crypte van de kathedraal aparte aandacht. Hier liggen de vroegere aartsbisschoppen van Sydney begraven. Het kostte vijftien jaar om het mozaïek aan te brengen.

ℹ️ ST MARY'S CATHEDRAL, College Street/Cathedral Street, tel. 9220 0400, www.sydney.catholic.org.au. Elke zondag om 12 uur is er een rondleiding met een gids.

## Great Synagogue

Bijzonder mooi is ook de Grote Synagoge, een ontwerp van architect Thomas Rowe. De synagoge werd in 1878 ingewijd. Dat is een kleine 100 jaar na de aankomst van de eerste 751 gestraften in Sydney in 1788. Onder deze groep zouden ook zestien joden gezeten hebben. Later, toen de emigratie naar Australië geen zaak meer was van veroordeelden en het aantal joden in Sydney toenam, groeide de behoefte aan een eigen gebedsruimte. Na een interne splitsing over een religieuze kwestie halverwege de 19de eeuw lukte het de joodse gemeenschap uiteindelijk om een grote synagoge te bouwen. Vrouwen van de joodse gemeenschap haalden met een zesdaagse bazaar en fancy fair 5000 pond op, een vijf-

de van de uiteindelijke bouwkosten. De kranten schreven destijds jubelend over het mooie nieuwe gebouw in Sydney.

De meeste bezoekers zijn vooral onder de indruk van de talloze bladgouden sterren die op het donkerblauwe plafond zijn aangebracht. Die sterren dateren van de laatste decennia. Ze staan symbool voor het idee dat religie een schijnend licht kan zijn in duistere tijden.

De synagoge heeft een museum dat op dinsdag en donderdag als onderdeel van een rondleiding te bezoeken is. Verder is er een bibliotheek met meer dan 6500 boeken, waaronder zeer oude exemplaren van de bijbel. Boeken uitlenen doet de synagoge niet, maar tegen een vergoeding kunnen wel kopieën van teksten worden gemaakt.

ℹ️ GREAT SYNAGOGUE, 187A Elizabeth Street, tel. 9267 2477, www.greatsynagogue.org.au. Bezoeken alleen onder begeleiding op dinsdag- en donderdagmiddag om 12 uur.

## Australian Museum

In het zakencentrum van Sydney zijn twee musea de moeite van het bezoeken waard. Het grootste en bekendste is het Australian Museum. Dit museum, 'het meest vooraanstaande natuurwetenschappelijke museum van het land', dateert uit 1827 en is daarmee het oudste museum van Australië. Het grote zandstenen gebouw met zijn marmeren trap is op zich al het bekijken waard. Maar binnen is veel meer te zien. Neem de tijd daarvoor: het is zonde om dit museum af te raffelen.

Op de begane grond, in het oudste gedeelte van het museum, is een galerij vol met skeletten van dieren. Maar vooral de expositie over de Aborigines op deze verdieping is de moeite waard. De tentoonstelling gaat veel verder dan de meeste standaardverhaaltjes over de eerste bewoners van Australiërs. De bezoeker krijgt in woord, geluid en beeld uitleg over de bete-

*Museum of Sydney*

kenis van de Droomtijd; hoort de verhalen over vroeger, over de gebruiken en tradities; ziet de (verwoestende) invloed van de komst van de Europeanen, maakt kennis met de zwarte periode van onderdrukking en discriminatie, het afpakken van Aboriginal kinderen en het alcoholisme en de werkloosheid. Veel komt in deze indringende expositie aan bod, politiek gevoelige onderwerpen worden niet omzeild.

Op de eerste verdieping komen de mineralen en edelstenen van Australië aan bod. En op de tweede etage kun je alle enge beesten en insecten zien die dit continent voortbrengt, zoals de levensgevaarlijke funnel-web spin, schorpioenen en kakkerlakken. Gelukkig zijn ze opgezet. Voor het tegenwicht heeft het museum ook alle mooie vogels en vlinders op een rijtje gezet.

Op dezelfde verdieping wordt de prehistorie van Australië behandeld. De bezoeker kan zich al wandelend door de tijd verbazen over de skeletten van dinosaurussen en andere schepselen die hier ruim 100 mil-

joen jaar geleden hebben geleefd. Wie films als *Jurassic Park* heeft gezien, zal begrijpen dat deze tentoonstelling een van de populairste gedeelten van het museum is. Het Australian Museum kent daarnaast wisselende tentoonstellingen met verschillende (actuele) thema's.

ⓘ AUSTRALIAN MUSEUM, 6 College Street, tel. 9320 6000, www.amonline.net.au. Geopend: dag. 9.30–17 uur; toegang: volwassen 10 Au$, kinderen 5 Au$.

## Museum of Sydney

Een ander populair museum in de binnenstad is het Museum of Sydney. Het museum is gevestigd op historische grond: hier liet Sydneys gouverneur Arthur Phillip in 1788 het eerste gouvernementshuis bouwen. De fundamenten van dit oudste gebouw van Sydney zijn nog in het museum te bewonderen.

Het museum (geopend in 1995) laat met alle moderne technieken de geschiedenis van Sydney zien, van 1788 tot nu. In een aparte afdeling komen ook de cultuur en

## ARCHITECTUUR

*Californian Bungalow, de bouwstijl rond de jaren vijftig van de vorige eeuw*

Sydney heeft als architectonisch hoogstandje het Opera House, dat is bekend. Maar in de woonwijken van de stad zijn ook interessante huizen terug te vinden, die de Britse geschiedenis van Australië en Sydney weerspiegelen. Wie door de woonwijken wandelt, ziet grofweg drie soorten huizen.

Veel huizen worden **victoriaanse terrashuizen** genoemd. Deze zijn gebouwd vanaf het midden tot het einde van de 19de eeuw en zijn de typische arbeidershuizen voor die tijd. Hun naam danken ze aan de vorstin van het Britse rijk, koningin Victoria. De woningen zijn meestal identieke rijtjeshuizen van twee tot zes huizen lang. Elk huis heeft een smal tuintje aan de voorkant, met ruimte voor een bloempot of een vuilnisemmer. Ze zijn meestal twee verdiepingen hoog en hebben een gietijzeren balkon aan de gevel op de eerste verdieping. Er is nooit een plat dak, altijd iets met een zolder, veelal afgedekt met golfplaten. Aan dakpannen doen ze niet. Deze huizen komen veel voor in de wijken Paddington, Darlinghurst Surry Hills en Balmain.

Een slagje chiquer zijn de huizen in de **Federation style**, gebouwd in de eerste twee decennia van de 20ste eeuw. De stijl dankt zijn naam aan het jaar 1901, toen de staten in Australië gingen samenwerken in de federatie Commonwealth of Australia. De huizen zijn vrijstaande bungalows met veel tierelantijntjes, zoals puntdaken, torentjes en allerlei details in het houtwerk. Deze huizen zijn te vinden in Noord-Sydney en de wijk Halberfield in de Inner West van Sydney.

Daarna werd de **Californian Bungalow** populair, veel gebouwd na 1915 tot in de jaren veertig. Deze hui-

de geschiedenis van de Aborigines aan bod.

ℹ️ **MUSEUM OF SYDNEY**, hoek Phillip Street en Bridge Street, tel. 9251 5988, www.hht.net.au. Geopend: dag. 9.30–17 uur, toegang: volwassenen 10 Au\$, kinderen 5 Au\$.

**Queen Victoria Building**

Het winkelcentrum Queen Victoria Building, of 'QVB' zoals de Sydneysiders zeggen, is aan het einde van de 19de eeuw door architect George McRae ontworpen en gebouwd als vervanging van de levensmiddelenmarkt op die plek. Die bouw ging

zen beantwoorden aan wat de Australische droom is: een al-
leenstaand huis met rondom een tuin, gebouwd in een dege-
lijke, robuust donkere baksteen, met een stukje platdak en
een stuk een puntdak. De veranda ontbreekt niet. Deze huizen staan in de buitenwijken wat verder weg van de stad. Hele
wijken zijn er mee volgebouwd in alle vormen en maten.

Daarna kwam een keur van stijlen aan bod. Voor een deel zijn
er smakeloze appartementencomplexen neergezet, waarvan
de afschuwelijkste voorbeelden in Redfern zijn te vinden. De
Bijlmermeer in Amsterdam is er mooi bij.

De kantoorgebouwen en de fabriekshallen volgen grofweg
ook bovenstaande ontwikkeling in bouwstijlen.

Een mooi voorbeeld van **moderne architectuur** is het Rose
Seidler House in het noorden van de stad (71 Clissold Road,
Wahroonga, tel. 9989 8020), elke zondag geopend van 10 tot
17 uur; entree 7 Au$. Het huis is gebouwd door de belangrijk-
ste architect van na de oorlog: Harry Seidler (□ p. 20).

**Art deco** komt natuurlijk in alle vormen en maten terug in Sydney. De art-decovereniging (www.angelfire.com/retro/artde-
consw/) houdt lijsten bij van gebouwen in deze stijl. In het zakencentrum zijn mooie voorbeelden te vinden, zoals het
hoofdkantoor van de Commonwealth Bank (546-548 George
Street), het Grace Building (77-79 York Street) en de vestiging
van warenhuis David Jones aan de Market Street.

Het Museum of Sydney organiseert **architectuurwandelingen**
door de stad. Deelname kost 25 Au$ per persoon. Reserveren
is aanbevolen, maar soms is er plaats op de dag zelf. Bel met
8239 2211 of ga naar www.sydneyarchitecture.org. De organisatie biedt de keuze uit vier wandelingen. Elke woensdag
om 10.30 uur is er een introductiewandeling door de stad. Zaterdag om 10.30 uur is er een Utzon-wandeling. Verder zijn er
een wandeling langs de haven en een excursie langs kunst in
de openbare ruimte. Deze laatste twee worden maandelijks
gehouden. De wandelingen zijn voor een algemeen publiek.
Enige architectonische kennis is niet nodig.

*Huis in de Federation style*

*Huis in de Victorian style*

overigens niet in een keer. Door geldgebrek werd het QVB in drie etappes gebouwd. De regering gebruikte zoveel mogelijk gespecialiseerde vakwerklieden om
de werkloosheid onder deze groepen terug
te dringen. Het gebouw in een pompeuze
koloniale glorieus Romaanse stijl, in Aus-

tralië wel aangeduid als *Romanesque*,
moest een eerbetoon worden aan de Britse
koningin Victoria.

Oorspronkelijk werd het gebouw gebruikt
als concertzaal, koffieshops, kantoorruim-
tes, etalages en warenhuizen. In de loop
der decennia veranderde de bestemming

*David Jones is het chique warenhuis van Australië, zeg maar de Bijenkorf.*

de huurovereenkomst tussen het QVB en de stad.

## Klokken

Bijzonder zijn verder twee grote hangklokken eveneens op de bovenste verdieping. De ene is van ontwerper Neil Glasser uit 1982. Zijn **Royal Clock** in de vorm van een kasteel laat elk heel uur een bewegend tableau van Britse koningen en koninginnen zien, inclusief trompetgeschal en de onthoofding van koning Charles I. Het is wat klungelig en houterig, maar als je toevallig in de buurt bent, kan het geen kwaad een paar minuten stil te staan.

De tweede hangklok, **The Great Australian Clock,** dateert uit juni 2000, heeft 1,5 miljoen Australische dollars gekost en laat de geschiedenis van Australië zien. Eens per uur, elk halfuur, gaat er van alles bewegen. Opvallend is dat de klok veel aandacht besteedt aan de Aboriginal geschiedenis van het land. Een Aboriginal krijger loopt als secondewijzer rondjes.

Behalve eindeloos winkelen, kijken, eten en drinken, kun je ook een rondleiding krijgen van een gids. Die tour vertrekt elke dag om 14.30 uur vanaf de informatiestand in het QVB.

ℹ️ QUEEN VICTORIA BUILDING, 455 George Street, tel. 9264 9209, www.qvb.com.au. Geopend: ma–wo, vr.–za 9–18 uur, do 9–21, zon- en feestdagen 11–17 uur.

diverse keren. Het QVB was zelfs even stadsbibliotheek. Sydney overwoog aan het einde van de jaren vijftig het QVB te slopen en er een parkeergarage te bouwen. Maar het verstand zegevierde. In 1984 onderging het QVB een grondige renovatie van tientallen miljoenen euro's en het werd in 1986 geopend als een nieuw chic winkelcentrum met ongeveer 200 winkels.

Op de bovenste verdieping is achter glas een brief te zien van de Britse koningin Elizabeth, gericht aan de bevolking van Sydney. Die brief mag pas in 2085 door de burgemeester van Sydney worden geopend en voorgelezen. In dat jaar eindigt

## Strand Arcade

Strand Arcade, een winkelpassage van George Street naar Pitt Street, is ontworpen door John Spencer en viel bij de rijken in goede aarde door zijn glazen dak en 50 kroonluchters. Een brand in 1976 verwoestte het luxueuze winkelparadepaardje, maar de stad herstelde de passage in haar oude, rijke glorie.

STRAND ARCADE, 412-414 George Street, tel. 9232 4199. Geopend: ma.–wo. en vr. 9–17.30, do. 9 21, zo. 9 16, zo. 11 16 uur.

## State Theatre

De pracht-en-praalliefhebbers kunnen gelijk doorlopen naar State Theatre. Dit gebouw van architect Henry White werd in 1929 geopend als bioscoop. Volgens deskundigen van die tijd was het theater meer dan zomaar een bioscoop. Het was een *Palace of Dreams*, waar de mensen konden wegdromen. Of zoals opdrachtgever Stuart Doyle het uitdrukte: 'Het theater moet het mooiste worden van het hele Britse rijk.'

Uitbundig is het zeker. De barokke foyer met de mozaïekvloer en de marmeren zuilen en beelden doet denken aan een sprookjespaleis. En er is een kroonluchter met 20.000 onderdelen. De eerste film die in het theater werd gedraaid, was *The Patriot* en organist Price Dunlavy bespeelde in de zaal 'het machtige' Wurlitzer orgel. Het State Theatre met zijn 2000 stoelen wordt nu gebruikt voor allerlei voorstellingen, van pop tot en met klassiek. Sterren als Shirley Maclaine en Shirley Bassey traden op en musicals als *Jesus Christ Superstar* en *Evita* kenden hier grote successen. Met grondige renovaties probeert het State Theatre ook voor de komende generaties een droompaleis te zijn.

STATE THEATRE, 49 Market Street, tel. 9373 6852, www.statetheatre.com.au. Kaartverkoop: ma.–vr. 9–17.30 uur.

# WINKELEN

De binnenstad van Sydney is een eldorado voor koopjesjagers. De liefhebbers van winkelen halen op **Pitt Street** hun hart op, een van de weinige autovrije gedeeltes hier. Je waant je op een brede versie van de Amsterdamse Kalverstraat. Veel bekende (luxe) kledingmerken hebben hier een vestiging. Er zijn boeken- en cd-winkels en *foodcourts*: ondergrondse ruimten, waar je snel en redelijk goedkoop allerlei vers bereid voedsel en dranken kunt verorberen. Zonder de stress van voorbijrazende auto's kun je kortom breeduit flaneren en mensen en goederen bekijken.

Autovrij is ook **Martin Place**. Dit is een langgerekt voetgangersgebied met fonteinen, eetstandjes, winkels en een monument

*In stijl winkelen over drie verdiepingen in het Queen Victoria Building*

voor de gevallen soldaten in de oorlogen. Het is een cenotaaf, afgeleid van het Grieks voor lege tombe. Op nummer 1 is het voormalige postkantoor van Sydney gevestigd, gebouwd door architect James Barnet en geopend in 1866. Het postkantoor is verbouwd tot een groot en eigentijds winkelcentrum. De ingang ligt wat verstopt, maar eenmaal binnen is het trendy winkelen en koffie drinken tussen de mannen in dure maatpakken en vrouwen in mantelpakjes.

Wie van grote warenhuizen houdt, kan zichzelf verliezen in de enorme vestiging van **David Jones** (65-77 Market Street, tel. 9266 5544, www.davidjones.com.au), het oudste warenhuis van Australië en een chiquere uitvoering van de Bijenkorf. Zeker niet goedkoop, wel de moeite waard om het enorme aanbod te zien (parfum!) en de ene na de andere roltrap op en af te gaan.

Het **Queen Victoria Building** (zie ook p. 62) is zonder concurrentie Sydneys meest prestigieuze winkelcentrum. In alle boekjes en folders over dit winkelcentrum staat een uitspraak van de bekende Franse modeontwerper Pierre Cardin. Hij noemde het vijf verdiepingen tellende gebouw met zijn koperen koepel en glazen dak 'een van de mooiste winkelcentra ter wereld'. Dat is misschien wat overdreven, maar het is zonder meer waar dat je in dit gebouw op stand kunt winkelen.

Fans van shoppen komen ogen en oren (en geld) tekort in de drie verdiepingen tellende passage **Strand Arcade** (zie ook p. 65).

*De akubra, een Australische hoed, is een geliefd souvenir.*

In het **Entertainment Quarter** (Fox Studio's) kun je shoppen makkelijk combineren met uitgaan. Het nieuwe, moderne complex heeft tal van winkels (kleding, cd's, sportartikelen), restaurants, cafés en bioscopen. Op woensdag en zaterdag is er een boerenmarkt, in het weekend een markt met kunst, juwelen, planten en cadeauartikelen. Populair bij de jeugd en de yuppen van Sydney (www.entertainmentquarter.com.au).

Elke wijk in Sydney heeft wel een groot of klein winkelcentrum; niet alleen om je dagelijkse boodschappen te doen in de grote supermarktketens Coles of Woolworth, maar ook om koffie te drinken of een hapje te eten in een foodcourt. In de hete zomers zijn deze centra een geliefde plek om even af te koelen (lang leve de airconditioning). **Westfield Shopping Town** (Parramatta) is met 560 winkels over vijf verdiepingen het grootste winkelcentrum van Sydney. Andere, grote en populaire winkelcentra zijn het **Marrickville Metro Shopping Centre** (34 Victoria Road, Marrickville, www.marrickvillemetroshopping.com.au) en het **West-**

**field Bondi Junction** (500 Oxford Street, Bondi Junction, westfield.com/bondijunction. *Shop till you drop*.

Het **Broadway Shopping Centre** (1 Bay Street, Broadway) is ook de moeite waard om naar binnen te lopen, al is het alleen maar om het mooie gebouw. Twee grote supermarkten zijn hier te vinden, 120 winkels, een 500 zitplaatsen tellend foodcourt en twaalf bioscoopzalen. Wat wil een winkelliefhebber nog meer?

Wie in Sydney een tweede paasdaggevoel heeft en graag op een meubelboulevard wil rondlopen, gaat naar het **SupaCenta** bij het Moore Park: van Ikea tot duur design.

Winkelen kun je ook op de talrijke markten die Sydney telt. De populairste zijn:

● **Paddy's Markets** in China Town (Hay Street). Prettige chaos voor de koopjesjagers.

● **Rozelle Market,** Sydneys beroemdste tweedehands markt in Rozelle Public School (Darling Street).

● Elke zondag is er voor het Opera House de befaamde Sydney **Opera House Markets**: kunst, sieraden, schilderijen, glaswerk, een geliefde bestemming voor toeristen.

● Wie gek is op bloemen en fruit reist naar Homebush (bij het olympische complex) om te winkelen op de **Sydney Markets**; 41 ha vol met verse producten.

● De grootste vismarkt op het zuidelijke halfrond is te vinden op de **Sydney Fish Market** (Bank Street, Pyrmont). Vanaf 5 uur 's ochtends elke werkdag kom je ogen tekort om alle visproducten te zien en te kopen.

● In Sydney-Noord, op de hoek van Miller Street en Ridge Street, is de populaire **North Sydney Markets**: verse groenten en fruit, vis, vlees, kunst, tweedehands artikelen; (bijna) alles is te koop in het park achter Stanton Library.

# 4

# De nieuwe Darling Harbour

Toegegeven: je moet ervan houden. Maar Darling Harbour is sinds 1988 het visitekaartje van Sydney. Op het vroegere vervallen haventerrein ligt een strak vormgegeven en luxueus uitgevoerd uitgaanscentrum, met (dure) winkels, restaurants, cafés, musea, een monorail en ander vermaak voor alle leeftijdscategorieën. Veel inwoners van Sydney zijn trots op Darling Harbour (www.darlingharbour.com.au); ze noemen hun uitgaansgebied 'een wonder van binnenstedelijke wedergeboorte'. En volgens de folders is deze plek een '*must see*' voor elke toerist. Dat is natuurlijk de gebruikelijke promotiepeptalk, maar een bezoek aan Sydneys meest besproken grootstedelijk nieuwbouwproject is zeker interessant.

## HAVENGEBIED

Voor de komst van de eerste Europeanen noemen de Aborigines dit gebied *Tumbalong* (plek waar zeevoedsel wordt gevonden). De eerste Britse kolonisten veranderen de naam in *Long Cove*, omdat de inham zo lang is. De bevolking spreekt later over **Cockle Bay**, omdat er zo veel schelpdieren zijn. De plek wordt een geliefde picknickplaats en de eerste werf gaat open.

In 1826 geven de autoriteiten de haven een definitieve naam: Darling Harbour, naar de negende gouverneur van Sydney, Ralph Darling. Darling Harbour ontwikkelt zich snel tot Sydneys drukke industriegebied. Hier is de internationale haven van Sydney, waar alle schepen met graan, wol, hout en steenkool aanleggen of vertrekken. Een nieuwe, houten brug, Pyrmont Bridge, vergemakkelijkt in 1857 de toegang tot het gebied. De brug wordt in

◄ *Darling Harbour* ▲ *Er zijn ook kappers op Paddy's Markets.*

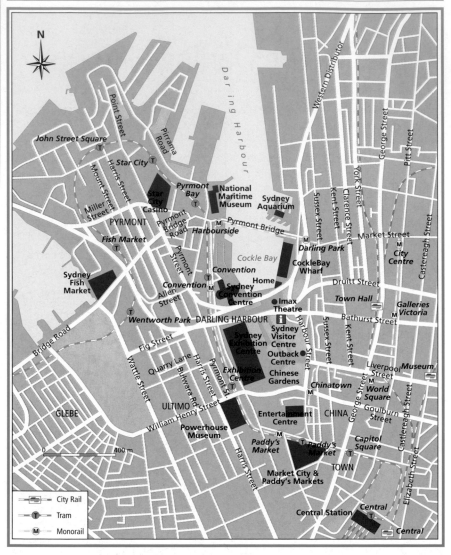

Darling Harbour

1902 vervangen door een stalen exemplaar.

In de Tweede Wereldoorlog is Darling Harbour een overslagplaats voor legermateriaal. Na de oorlog speelt het gebied een belangrijke rol in het grootscheepse immigratieprogramma van de regering. Honderdduizenden immigranten zetten op Darling Harbour voor het eerst voet op Australische bodem. Maar de schwung is eruit. Met de komst van grote containerschepen verliest Darling Harbour steeds meer klanten; Botany Bay verdringt de haven in het centrum als belangrijkste haven van Sydney.

## Metamorfose

In de jaren zeventig verandert Darling Harbour in een spookgebied; veel pakhuizen staan leeg, er rijden amper meer goederentreinen over het terrein. In 1984 speelt de muziekband van de vakbond een begrafenismars als de laatste goederentrein de haven verlaat. Verpaupering en depressie liggen op de loer. Maar de toenmalige Laborregering van New South Wales belooft dat Darling Harbour 'na 150 jaar industrieel gebruik teruggegeven zal worden aan de bevolking'. In 1988, als Australië 200 jaar bestaat, moet het gebied een metamorfose hebben ondergaan.

In 1985 beginnen de sloopwerkzaamheden; gebouw na gebouw gaat tegen de vlakte. Een woud van hijskranen verschijnt. Drie jaar later, op 4 mei 1988, is de eerste fase klaar en kunnen de Australiërs van hun eigen verjaardagscadeautje genieten. De Britse koningin Elizabeth II is naar Sydney gekomen om de nieuwe Darling Harbour officieel te openen. Het Sydney Aquarium is een van de eerste nieuwe toeristenattracties. In de jaren erna groeit het gebied uit tot een groot uitgaanscentrum. De overheid investeert nog eens 1,5 miljard Australische dollars in Darling Harbour als Sydney in 2000 de Olympische Spelen organiseert. In het gerenoveerde havengebied worden vijf olympische sporttoernooien gehouden: boksen, judo, worstelen, gewichtheffen en volleybal. De investeringen zijn de moeite waard, zegt de overheid; in het olympisch jaar 2000 zijn er 16 miljoen bezoekers.

En zo is Darling Harbour geworden wat het nu is: Sydneys favoriete hotspot, met meer dan 4000 werknemers, bijna 3000

*Sydney heeft als een van de weinige steden buiten Japan een heuse monorail. Er zijn acht stations.*

hotelkamers, ruim 40 restaurants, bijna 30 cafés en een gemiddeld jaarlijks bezoekersaantal van 13 miljoen mensen. Duizelingwekkende cijfers, die volgens de ondernemers het succes van dit project moeten onderstrepen. Maar er zijn natuurlijk ook genoeg criticasters; zij vinden Darling Harbour erg kunstmatig, erg toeristisch en erg duur.

### Openbaar vervoer
Eén ding is zeker: Darling Harbour kent een bijzonder openbaar vervoer. Naar en over het gebied rijden namelijk een monorail en een lightrail. De **monorail** dateert uit 1988. De zwevende trein boven de

grond trekt 4 miljoen reizigers per jaar. Dat zijn voornamelijk toeristen, want de monorail rijdt een klein rondje van 3,5 km langs sommige attracties in de stad. Het is leuk om boven de haven te glijden (de maximumsnelheid is 33 km/uur), maar praktisch is het transport niet. De monorail heeft acht stations.

De **lightrail**, een grote tram, rijdt sinds 1997. Vanaf het Centraal Station kun je met de lightrail naar stations in Darling Harbour en terug. Niet heel snel, wel milieuvriendelijk.

ℹ MONORAIL, tel. 9285 5600, www.metromono-
rail.com.au. Geopend: ma.–do. 7–22, vr.–za.
7–24, zo. 8–22 uur, elke drie tot vijf minuten;
prijs: 4,50 Au$.

ℹ LIGHTRAIL, tel. 9285 5600;
www.metromonorail.com.au. Geopend: 24 uur
per dag, elke 10 tot 30 minuten; prijs: retour
1 zone 4,50 Au$, retour 2 zones: 5,50 Au$.

## Aquarium

De populairste attractie van Darling Harbour, en van heel Sydney trouwens, is het **Sydney Aquarium**. Miljoenen bezoekers

zijn er al geweest. Goedkoop is het zeker niet, maar het aquarium zegt de grootste collectie zeedieren van het land te hebben: ruim 11.000 exemplaren, verdeeld over ongeveer 650 soorten.

De bezoekers zien zeedieren uit verschillende gebieden, onder andere de zuidelijke rivieren, de zuidelijke oceanen (zeehonden en pinguïns) en het Great Barrier Reef in het noorden. Onderweg kun je zee-egels en andere beesten aanraken in de *Touch Pool*. Of, met de neus tegen de ruit, je vergapen aan de Picasso-achtige kleuren van de ontelbare vissen. De natuur als permanent modern kunstwerk.

Hoogtepunt is de **Open Ocean Oceanarium**; dankzij 145 m lange onderwatertunnels hebben de bezoekers het idee dat ze op de bodem van de oceaan wandelen. Grote haaien, zeeschildpadden en pijlstaartroggen scheren rakelings boven je hoofd, wat een spectaculair effect geeft.

ℹ SYDNEY AQUARIUM, Aquarium Pier, Darling Harbour, tel. 8251 7800,
www.sydneyaquarium.com.au. Geopend: dag.
9–22 uur; prijs: 27 Au$.

*Tunnels in het water bieden een ongewone blik op de onderkant van vissen.*

## Sydney Wildlife World

Op een steenworp afstand van het aquarium ligt de nieuwste attractie van Darling Harbour: Sydney Wildlife World. In dit complex van 7000 m² (kosten: 30 miljoen euro) worden negen ecosystemen in Australië aan het publiek gepresenteerd. De opzet is om 'het unieke Australische dieren- en plantenrijk op een creatieve en leuke manier te laten zien met alle geluiden en geuren die daarbij horen', aldus de initiatiefnemer.

Er zijn maar liefst 6000 typisch Australische dieren te bewonderen. Talloze vlinders bijvoorbeeld in een speciaal vlinderhuis. Maar ook vogels, buideldieren, insecten (de grootste kakkerlak!), spinnen, de 2 m grote en zeldzame cassowary (de junglevariant van de emoe, de Australische struisvogel) en natuurlijk koala's. Kangoeroes zijn er niet, giftige slangen wel. Bezoekers kunnen zes van de tien giftigste slangensoorten van dichtbij bekijken.

ⓘ SYDNEY WILDLIFE WORLD, www.sydneywildlifeworld.com.au. Geopend: dag. 9–22 uur; toegang: 28,50 Au$, kinderen: 14,50 Au$.

Het aquarium werkt als een magneet voor andere toeristenorganisaties. Geen wonder dat in de haven voor het Sydney Aquarium tal van **rondvaartboten** aanleggen, van gewone tourboten tot en met catamarans. En elke medewerker probeert met een vriendelijke lach of een kleurige folder de aandacht te trekken. Het is soms wat vermoeiend.

De **Cockle Bay Wharf** is de wandelboulevard, waaraan even chique als prijzige restaurants en bars liggen. De jetset van Sydney strijkt hier tijdens de lunch en het diner op de terrassen neer om een vorkje te prikken of om aan een glaasje koude, witte Chablis te nippen. Hier heerst de sfeer van zien-en-gezien-worden. De club **Home** staat sinds zijn opening in 1998 bekend om zijn exclusieve danceparty's. In de gla-

zen koepelzaal van de nachtclub heb je (al dansend) een sfeervol uitzicht op de haven. Op het terras buiten is het verder lekker chillen.

ⓘ HOME, Cockle Bay Warf, tel. 9266 0600, www.homesydney.com.

## Imax

Regen? Dreinende kinderen? Plotselinge mocheid? Snakkend naar airconditioning? Het Imax Theatre biedt uitkomst. Op een doek zo hoog als acht verdiepingen ('het grootste scherm ter wereld!') vertoont het theater films in 2D en 3D. En dus kan een bezoeker helemaal opgaan in films over de onderwaterwereld, haaien, safari en andere weinig scriptvaste producties, waarin zoveel mogelijk wordt bewogen.

ⓘ IMAX THEATRE, Darling Harbour; tel. 9281 3300, www.imax.com.au. Geopend: dag. 10–22 uur; prijs: 18 Au$.

Kinderen die na het bezoek aan het Imax theater nog niet tevreden zijn gesteld, kunnen op de **speelplaats** tegenover het Informatiecentrum hun energie kwijt. De plek onder de grote snelwegviaducten is bepaald niet groen en rustgevend, maar oké, de kinderen kunnen glijden, klimmen en klauteren. En in het minimeertje tegenover de speelplaats kan met een bootje een rondje worden gevaren.

## Outback Centre

Voor de ouders (en anderen) is misschien het Outback Centre interessant. Dit halfronde centrum is meer een supermarkt in populaire Aboriginal kunst. Alles wat een beetje inheems eruitziet, wordt hier verkocht: van fel beschilderde didgeridoo's tot en met boemerangs in alle soorten en maten (allemaal natuurlijk origineel handgemaakt...) En overal in het centrum klinkt verantwoorde, inheemse muziek van cd's die te koop zijn.

Het Outback Centre doet ook aan 'Abori-

## NEDERLAND IN SYDNEY

Nederland is ver weg, grofweg 16.000 km, het land ligt net niet aan de andere kant van de aardbol. Maar net zoals elders op de wereld, vind je overal in Sydney Nederlanders. Natuurlijk zijn er de toeristen: per jaar komen er volgens de laatste cijfers 60.000 Nederlanders naar Sydney en dat aantal neemt toe. Verder heeft Nederland stevige economische banden met Australië.

Opvallend in Sydney zijn de vestigingen van grote banken: ING, ABN-Amro en de Rabobank zijn alle drie in de stad gevestigd en hebben forse reclame op een gebouw bevestigd. En dan zijn er nog allerlei firma's, waarmee de link met Nederland wat minder bekend is, zoals KPMG. Nederland is op economisch gebied een grote jongen in dit land: de vierde buitenlandse investeerder in Australië, na de Verenigde Staten, Groot-Brittannië en Japan.

Verder zijn er tal van Nederlandse producten te koop in Sydney. Zoals overal is Heineken in ruime mate verkrijgbaar. Maar wie in de *bottleshops* kijkt, ziet ook andere Nederlandse bieren, zoals Bavaria en het onbekende Hollandiabier. In de supermarkt is het niet lang zoeken naar Goudse, Edammer of Maaslander kaas en een enkele winkel verkoopt zelfs stroopwafels.

In de eetsfeer stelt Nederland natuurlijk weinig voor, maar er is toch een Dutch Restaurant in Paddington, gerund door een Oostenrijker. In Darling Harbour heeft Dutch Delight een kraam, voor als je toch echt even poffertjes wilt eten of een frikadel naar binnen wil werken. Ook op de Kirribilli Market is een keer in de maand steevast een poffertjeskraam te vinden.

Er is een Hollandse supermarkt, ver weg in Smithfield in het westen van de stad. Het is een grote hal op een industrieterrein, opgeleukt met een nepgevel van Amsterdamse grachtenpanden. Het centrum heet het *Dutch cultural Centre*, maar de mensen komen er vooral voor hun Douwe Egberts koffie, stroopwafel, drop en al het andere heerlijks van het vaderland. Zonder eigen vervoer is de winkel niet te bereiken, maar als toerist heb je er weinig te zoeken.

Sydney kent ook Nederlandstalige radio. De publieke zender SBS (die heeft dus niets te maken met het commerciële SBS in Nederland) zendt vier uur Nederlandstalige radio per week uit ([www.sbs.com.au/dutch](www.sbs.com.au/dutch)). Voor een deel zijn het programma's van de Wereldomroep, voor een ander deel eigen werk. Grappig om je taal hier te horen. Maandag, woensdag en zaterdag om 10 uur, vrijdag om 21 uur. In Sydney is de uitzending te horen op 1107 Am of 97,7 FM. SBS televisie zendt soms een Nederlandstalige film uit met Engelse ondertitels.

---

ginal cultuur': elke dag om 13, 15 en 17 uur is er in het theater met 120 stoelen een gratis didgeridoovoorstelling en worden er beelden van Outback Australia vertoond. En er is een galerie waar Aboriginal kunst hangt. Het centrum spreekt over een 'unieke ervaring', maar dat is veel te veel eer.

ⓘ OUTBACK CENTRE, 28 Darling Walk, 1-25 Harbour Street, Darling Harbour, tel. 9283 7477, [www.outbackcentre.com.au](www.outbackcentre.com.au). Geopend: dag. 10–18 uur.

**Chinese tuin**

Echte cultuur vind je in de **Chinese Gar-**

**den of Friendship**. De tuin was in 1988 een cadeau van de Chinese gemeenschap aan het toen 200 jaar oude Australië. Landschapsarchitecten uit de stad Guangdong, Sydneys zusterstad in China, maakten het ontwerp voor deze tuin, die de vriendschap tussen Australië en China moest onderstrepen.

De tuin van ruim 1 ha is aangelegd volgens een 3000 jaar oude Chinese traditie: met watervallen, nauwe doorgangen, beschutte plekjes, houtsnijwerk en paviljoens; nergens heb je een volledig overzicht over de tuin. Het geheel moet de filosofie van yin (rust) en yang (activiteit) uitademen.

De lotusbloemen en de waterlelies verhogen het paradijselijke gevoel. In de tuin zijn verder zeldzame Chinese planten en bomen te vinden. Opvallend zijn ook twee (geglazuurde) draken in het laagste deel van de tuin: zij symboliseren de provincie Guangdong en de deelstaat New South Wales. In het theehuis in het *Tea House Courtyard* kun je met Chinese thee en cake helemaal tot rust komen.

ⓘ CHINESE GARDEN OF FRIENDSHIP, Darling Harbour, tel. 9281 6863, www.chinesegarden.com.au. Geopend: dag. 9.30–17 uur; toegang: 6 Au$.

## Congrescentrum

Een van de opvallendste gebouwen van Darling Harbour is het ronde **Sydney Convention and Exhibition Centre**. Vanaf de opening in 1988 speelt het centrum met zijn 30.000 m² expositieruimte, 300 vergaderzalen en jaarlijks 600 evenementen een hoofdrol in Sydneys congressen. Uit heel de wereld komen ze naar het congrescentrum om te vergaderen: van de managers van McDonald's tot en met neurologen. Beurzen worden hier ook regelmatig gehouden, waarvan de *Australian International Motor Show*, de Australische variant van de Auto Rai, de bekendste is. Deze autobeurs trekt 300.000 bezoekers. Voor het gebouw ligt een fontein van Robert Woodward, de man die ook de bekende El Alamein-fontein in Kings Cross ontwierp. De fontein in Darling Harbour (*The Tidal Cascades*) moet met zijn dubbele spiraal van water en paden de ronde vorm van het congresgebouw weerspiegelen.

ⓘ SYDNEY CONVENTION AND EXHIBITION CENTRE, Darling Drive, Darling Harbour, tel. 9282 5000, www.scec.com.au.

Wat zou Darling Harbour zijn zonder een winkelcentrum? En dus is het **Harbourside Complex** gebouwd, met tal van restaurants en cafés die op het water uitkijken. En natuurlijk met een stortvloed aan winkels, vaak in de duurdere categorieën, want je bent nu eenmaal op een trendy plaats.

## Maritiem Museum

Na het Sydney Aquarium is het Australian National Maritime Museum de grootste trekpleister van Darling Harbour. Alleen al het gebouw is een reden het museum te bezoeken. De voorgevel met zijn opbollende stalen dak wekt de indruk dat het museum zo weg kan zeilen.

De Australische regering was al lang van plan om in Sydney een maritiem museum neer te zetten. Er moest een plek komen waar de speciale band tussen Sydney en de zee tot uiting kwam. De eerste aanbevelingen daartoe werden gedaan in 1975. Toen in de jaren tachtig de plannen rond de nieuwe Darling Harbour op tafel lagen, stond op alle schetsen een maritiem museum ingetekend. De nationale regering stel de een eerste 30 miljoen dollar ter beschikking en de Australische architect Phillip Cox werd aangesteld om het nieuwe museum te ontwerpen.

De nieuwbouw verliep niet helemaal zonder problemen. Tussen 1988 en 1990 ontstond er vertraging door conflicten over de bouw en door een ruzie over geld tussen de nationale en de deelstaatregering. Maar op 29 november 1991 (drie jaar later dan gepland) waren er alleen maar lachende gezichten te zien, toen toenmalig minister-president Bob Hawke Sydneys nationaal maritiem museum officieel opende. In totaal heeft de overheid meer dan 100 miljoen dollar geïnvesteerd in het nieuwe gebouw. Sponsors maakten de financiering rond.

Het museum heeft enige permanente tentoonstellingen die gratis te bezoeken zijn. Een expositie over de eerste bewoners van Australië en hun banden met de zee bijvoorbeeld, de Europese ontdekkingsreizi-

*Voor 105 Au$ (iets meer dan 60 euro) kan iemand de naam van een geëmigreerd familielid laten graveren op de Welcome Wall bij het Maritime Museum.*

muur die vlak bij de plaats staat waar destijds de immigranten van boord stapten: de Welcome Wall. De muur is een eerbetoon aan de meer dan 6 miljoen immigranten die door de jaren heen naar Australië zijn gekomen. Op de muur staan op bronzen panelen een paar duizend namen van deze immigranten. Via een computer zijn de achtergronden van deze nieuwe bewoners van Australië op te zoeken. En voor 105 dollar kan iemand een naam van een geëmigreerd familielid aan de muur toevoegen.

## The Endeavour

Een van de pronkstukken van het museum is een replica van *The Endeavour*, het schip waarmee de Britse kapitein James Cook in de 18de eeuw de oostkust van Australië ontdekte. Tegen betaling (volwassenen 15 Au$, kinderen 8 Au$) kunnen bezoekers rondkijken op het nagebouwde schip, dat veel kleiner is dan velen denken (denk aan je hoofd!). Aan boord waan je je een paar eeuwen terug als je de ruimte ziet, waar zeventig matrozen in hun hangmatten sliepen. De hutten van kapitein Cook en zijn officieren zijn zo precies mogelijk nagebouwd; het lijkt net alsof ze zo aan tafel kunnen gaan voor hun diner. In de kombuis van het schip is het grote ijzeren fornuis te zien, waarop de (eenarmige) kok van *The Endeavour* de maaltijden voor de bemanning bereidde.

gers en de rol van watersport in Australië. Voor de wisselende tentoonstellingen moet worden betaald. Aan de steigers liggen verschillende boten, van een Vietnamees vluchtelingenbootje tot en met de torpedojager *The Vampire*, het grootste schip van het museum. Deze torpedojager uit 1959 van de Australische marine is tegen betaling te bezoeken. En dan krijg je er volgens de folders spannende 'oorlogsgeluiden' bij.

## Welcome Wall

Speciale attentie verdient een 100 m lange

Het is lange tijd onduidelijk geweest wat er precies is gebeurd met de echte *Endeavour*. Na de ontdekkingsreis van kapitein Cook verkocht de Britse regering het oude schip aan een handelaar, die het een andere naam gaf: Lord Sandwich. Onderzoekers zijn in 2006 definitief tot de conclusie gekomen dat de voormalige *Endeavour* in de haven van het Amerikaanse Newport tot zinken is gebracht. Het schip van Cook maakte deel uit van de dertien schepen, die de Britten in 1778 tijdens de Onafhankelijkheidsoorlog tegen de Amerikanen lieten zinken. Het was een poging om de Franse vloot van generaal d'Estaing (die de Amerikanen in hun strijd tegen de Britten te hulp schoot) tegen te houden.

De restanten van Australiës icoon *The Endeavour* liggen dus waarschijnlijk ergens op de Amerikaanse zeebodem. Gelukkig is de kopie nog in alle glorie te zien in Darling Harbour.

ⓘ AUSTRALIAN NATIONAL MARITIME MUSEUM, 2 Murray Street, Darling Harbour, tel. 9298 3777, www.anmm.gov.au. Geopend: dag. 9.30–17, in januari tot 18 uur. Toegang gratis. Voor bezichtiging van *The Endeavour* (en andere schepen) moet worden betaald.

## Powerhouse Museum

Over leuke musea gesproken: vlak bij Darling Harbour ligt het Powerhouse Museum, dat zeker niet in een uurtje is te bekijken. Je zult de eerste niet zijn die verdwaalt in deze voormalige energiecentrale voor Sydneys tramverkeer. Het museum uit 1988 heeft een oppervlakte van 20.000 m², zeg maar drie voetbalvelden. Het is dus niet overbodig om met een plattegrond op stap te gaan.

Het Powerhouse telt 22 vaste tentoonstellingen, die over van alles en nog wat gaan. Over geschiedenis bijvoorbeeld, techniek, design, kunst en muziek. Daarnaast heeft het museum een aantal wisselende exposities met aansprekende en originele thema's.

Zo waren in het verleden de exposities over de films *Star Wars* en *The Lord of the Rings* erg populair. Om maar te zwijgen van alle aandacht voor de actrice Audrey Hepburn en de Australische popzangeres Kylie Minogue.

Het leuke van het Powerhouse is dat het niet alleen bij kijken hoeft te blijven. De bezoeker kan dankzij video's, computers en touchscreens de tentoonstellingen interactief beleven. En dat maakt het museum bijzonder populair bij jongeren.

ⓘ POWERHOUSE MUSEUM, 500 Harris Street, Ultimo, tel. 9217 0111, www.powerhousemuseum.com. Geopend: dag. 10–17 uur; toegang: 10 Au$.

## CHINA TOWN

Toen er in 1860 op grote schaal goud werd gevonden in de heuvels van New South Wales, trokken tienduizenden goudzoekers uit China naar Australië. Zij vormden daarmee de eerste Chinese gemeenschap. Hoewel nu niet wordt nagelaten om de goede vriendschapsbanden tussen Australië en China te benadrukken, was het in het begin allerminst koek en ei tussen de bevolkingsgroepen.

Blanke goudzoekers vielen in 1860 en 1861 de onderkomens aan van Chinezen in het gebied van Lambing Flat. Er vielen zelfs doden en gewonden. Volgens de blanken zouden de Chinezen misbruik maken van de watervoorraden. Volgens de Chinezen was er sprake van puur racisme.

Het leger maakte tot twee keer toe een einde aan de heftige rellen. Voor de gouverneur van New South Wales waren de ongeregeldheden reden om de komst van Aziaten aan banden te leggen. Alleen blanke emigranten waren nog welkom in het nieuwe land. Die *White Australia Policy* werd pas in 1966 verlaten.

## Oppepper

In Sydney woonde de Chinese gemeen-

*China Town*

straatlantaarns in Chinese stijl. Bezoekers wandelen langs dure restaurants, goedkope eettentjes, modezaken, juwcliers, banketbakkers, traditionele winkels, kruidengenezers en bioscopen met de nieuwste Chinese films. En de Australiërs koesteren hun Chinese vrienden en investeerders.

## Paddy's Markets

De belangrijkste attractie van China Town is Market City & Paddy's Markets. Market City is een van de vele winkelcentra in Sydney, maar het aanbod is hier veel meer Aziatisch. Over drie verdiepingen kun je eindeloos shoppen, naar de (Chinese) film gaan, een drankje drinken en in de bekende foodcourts zoveel Aziatisch eten als je wilt.

Paddy's Markets bestaat al sinds 1869 en is daarmee de bekendste en oudste markt van Sydney. De naam 'Paddy' komt waarschijnlijk van een Ierse wijk in Liverpool, waar de Paddy Market een begrip was. Die markt in Liverpool was een kermisachtig evenement met draaimolens, de verkoop van groente en fruit en de handel in tweedehands spullen. Het is waarschijnlijk dat de talrijke Ierse immigranten deze naam hebben meegenomen en overgedragen op de markt in Sydney. Paddy's Markets trok in de 19de eeuw vooral armen als klanten. De markt was alleen open op zaterdag en had ook een circus op het terrein staan.

schap voornamelijk in Dixon Street en Hay Street. Het was jarenlang een verpauperd en verlopen gebied met armoedige winkeltjes. Maar nadat de Chinezen weer welkom waren in Sydney, kreeg China Town een enorme oppepper. Tientallen Chinese investeerders kochten huizen, winkels en andere panden in Dixon Street en omgeving. China Town breidde zich steeds meer uit.

Nu is Sydneys China Town een aansprekend en welvarend gedeelte van de stad geworden, inclusief rijk versierde toegangspoorten, leeuwen, paviljoenen en

*Op Paddy's Markets is alles te koop, met een nadruk op producten uit China.*

Paddy's Markets is een Australische icoon geworden en heeft twee vestigingen: een in Flemington en een onder het Market City winkelcentrum in Haymarket. Het is een lustoord voor iedereen die op jacht is naar koopjes. Verse groente, elektrische artikelen, bloemen, leren tassen en porte monnees, juwelen, kleren, cd's, huisdieren, souvenirs, alles is wel te vinden en te kopen in deze prettige chaos van kraampjes.

ⓘ CHINA TOWN, www.chinatown.com.au.
MARKET CITY & PADDY'S MARKETS, hoek Thomas Street en Hay Street, Haymarket, China Town, www.paddysmarkets.com.au, tel. 9267 8891; Paddy's Markets, tel. 1300 361589; Market City geopend: ma.–zo. 10–19, Paddy's Markets geopend: do.–zo. 9–17 uur.

## PYRMONT
Liefhebbers van vis en markten zijn misschien nog beter uit in de nabijgelegen wijk Pyrmont. Daar is namelijk de wereldberoemde **vismarkt** gevestigd. Na Tokio schijnt de vismarkt van Pyrmont het

grootste aanbod van verse vis en schelpdieren te hebben. Meer dan 100 soorten zijn er te koop; de bezoeker van de vis-

*De vismarkt in Sydney is na Tokio de grootste vismarkt ter wereld.*

## JE BENT JONG EN JE HEBT WEINIG GELD

Met lage tarieven en talrijke aanbiedingen lokken de backpackerhotels de rugzaktoeristen.

Als je jong bent en je wilt wat, dan is Australië een ideale bestemming. Ga maar na: de autoriteiten doen niet al te moeilijk over een werkvisum voor twee jaar als je nog geen dertig bent. Er is in het land genoeg werk te vinden (fruit plukken, werken op een boerderij, bedienen in een café), er zijn overal goedkope backpackershotels en na het werk is er zon, strand, zee en vrijheid. *Awesome!*

Het is dus niet verbazingwekkend dat jaarlijks tienduizenden backpackers uit heel de wereld naar Down Under reizen en daar de tijd van hun leven hebben.

Sydney is een prima plaats om het avontuur te beginnen. Weinig geld te besteden? Geen probleem. Sydney kent een aantal gratis attracties. Hier zijn de belangrijkste:

• Het **Sydney Opera House** en de **Sydney Harbour Bridge** mag je niet missen. Je kunt dure excursies boeken om beide attracties te zien of te beklimmen, maar het kost niks om rond het Opera House te wandelen en binnen een kijkje te nemen en over de Harbour Bridge heen en weer te lopen.

• Het **Government House** op Macquarie Street is de plek waar de gouverneurs van Sydney in stijl woonden. Luxe en praal te midden van natuur en tuinen. Elke dag zijn er gratis rondleidingen van drie kwartier. Meld je van te voren aan bij de receptie aan de ingang en de tour is geregeld.

markt voelt zich bijna verloren in de enorme ruimte. En behalve vis mee naar huis nemen, kun je ook ter plaatse op een terras allerlei soorten vis meteen opeten. Degenen die vroeg opstaan geen bezwaar vinden, zijn om half zes in de ochtend welkom om op de markt de veiling van de vis mee te maken.

Pyrmont, genoemd naar het Duitse kuuroord Bad Pyrmont, was vroeger de plek van veel scheepswerven en (wol)industrie. Net zoals Darling Harbour dreigde Pyrmont ten onder te gaan aan de verpaupering. Maar na een groot renovatieproject is de wijk helemaal hip en trendy geworden

met cafés en dertig restaurants. Vanzelfsprekend kent Pyrmont een riant aanbod aan visrestaurants. Kenners watertanden ervan. De wijk heeft zelfs de Sydney Seafood School, waar jaarlijks 10.000 cursisten leren om zeevoedsel te bereiden.

ⓘ SYDNEY FISH MARKET, Blackwattle Bay, Pyrmont, tel. 9004 1100, www.sydneyfishmarket.com.au. Geopend: dag. vanaf 7 uur.

### Star City Casino

Behalve voor vis, komen de mensen naar Pyrmont om te gokken. Hier staat namelijk het grote Star City Casino, Sydneys enige casino, dat meer is dan alleen een

- De **St Mary's Cathedral** op College Street is de oudste kathedraal van Australië. Sla de mozaïekvloer in de crypte niet over. Elke zondagmiddag om 12 uur is er een gratis rondleiding.
- Het **observatorium** van Sydney ligt in het Observatory Park (Watson Road). Op de heuvel heb je een geweldig uitzicht over de haven en je kunt er heerlijk picknicken. Het museum binnen is overdag gratis te bezoeken.
- Het **museum van hedendaagse kunst** op Circular Quay is zonder betaling te bezichtigen. Er zijn gratis rondleidingen. Leuke, aansprekende kunst, inclusief een gedeelte over Aboriginal schilderijen. Ook het **Art Museum of New South Wales** in The Domain is gratis toegankelijk.
- De **Victoria Barracks** op Oxford Street zijn in 1848 door gevangenen gebouwd. De legerplaats wordt nóg altijd gebruikt. Op de meeste donderdagen is er om 10 uur 's ochtends een militaire ceremonie, inclusief het hijsen van vlaggen en een marching band. De entree kost niets
- De **Old Darlinhurst Gaol** op Forbes Street was vroeger een beruchte gevangenis in Sydney. Nu is er de kunstacademie gevestigd, maar in de vorige eeuw zaten hier honderden mannen en vrouwen dicht op elkaar gepakt in cellen. Een kleine tachtig gevangenen werden op het terrein van de gevangenis opgehangen. Je kunt zo naar binnen lopen en bij de receptie van de kunstacademie een plattegrond van het complex met tekst en uitleg vragen. Zodat je zelf de tijden van vroeger kunt herbeleven.
- **Newtown** is de meest alternatieve wijk van Sydney. Studenten, homo's, activisten, aanhangers van de gothic scene, yuppies; iedereen loopt hier rond. Op het kerkhof van de St Stephens Church aan de Church Street liggen doden begraven uit de allereerste tijd van Sydney als kolonie, inclusief slachtoffers van scheepsrampen. De geschiedenis komt tot leven als je hier ronddwaalt en de teksten op de verweerde stenen leest. Het kerkhof wordt verder gebruikt als ontmoetingsplaats voor gothic jongeren; met een biertje is het voor hen aangenaam vertoeven op de grafzerken.
- Het **Rocks Discovery Museum**, met de historie van Sydney en Australië, op 2-8 Kendall Lane heft geen entree.

Backpackers in Australië vinden veel informatie over werk, reizen, accommodaties en aanbiedingen in het gratis *INI Magazine*, www.tntmagazine.com.au.

plaats om roulette te spelen of aan de *pokies*, de fruitmachines, te trekken. Het casino is een groot amusementscentrum. In het **Lyric Theatre** worden tal van voorstellingen en concerten gegeven. Star Casino heeft een overdaad aan restaurants en een (duur) hotel.

ℹ STAR CITY CASINO, 80 Pyrmont Street, Pyrmont, tel. 9777 9000, www.starcity.com.au.Het casino is 24 uur open.

# UITGAAN

Niemand hoeft zich in Sydney te vervelen. Overdag niet en zeker niet 's nachts. De stad biedt ontelbare mogelijkheden voor vermaak: van plat amusement met veel bier tot en met culturele uitstapjes. Een goede wekelijkse uitgaansgids voor Sydney is te vinden in de vrijdagse bijlage *Metro* van de *Sydney Morning Herald* en de donderdagse bijlage *Seven Days* van de *Daily Telegraph*.

Het bekendste theater in Sydney is het **Opera House**, waar jaarlijks vele honderden voorstellingen worden gegeven, zowel opera, ballet en moderne dans als muziek. Een nieuwkomer in Sydney is het **Sydney Theatre** aan de Hickson Road, speciaal voor dans en drama. Dit gebouw opende in 2004 de deuren. Dit theater maakt deel uit van een theaterwijkje aan de Walsh Bay achter de brug gezien vanaf het Opera House. Hier zijn ook twee theaters te vinden in oude loodsen, the **Two Wharfs Theatres**. De vaste bespeler is de Sydney Theatre Company. Hier zijn ook optredens van Australiës beste Aboriginal dansgroep Bangarra.
- Sydney Theatre & The Wharf, 22 Hickson Road, Whash Bay, www.Sydneytheatre.com.au, tel. 9250 1999, 9250 1700.

Het **Capitol Theatre** is meer oude glorie, de Australische variant van Carré. Dit theater in Haymarket aan de grens van China Town heeft zijn oorsprong in 1892 als New Belmore Market. Daarna werd het een circus en sinds 1927 is het een theater met 2000 stoelen. Begin jaren negentig is het Capitol Theatre verbouwd en is het geschikt gemaakt voor de grote musicalproducties.
- Capitol Theatre, 13 Campbell Street, tel. 9320 5000, www.captioltheatre.com.au.

Het chicst zijn de voorstellingen in het statige **State Theatre**, dat uit 1929 stamt en 2000 plaatsen telt. Het is vooral een plek voor toneel. Stukken van beroemde Australische auteurs zijn hier opgevoerd. In juni wordt hier het Sydney Film Festival gehouden.
- State Theatre, 49 Market Street, tel. 9373 6852, www.statetheatre.com.au.

Voor klassieke muziek is de **City Recital Hal** de aangewezen plek. Het is een moderne zaal met 1238 stoelen waar het hele scala klassiek wordt vertoond van licht tot erg zwaar.
- City Recital Hal, Angel Place 8256 2222, www.cityrecitalhal.com.

Dit zijn de grote commerciële zalen. Er is natuurlijk nog veel meer in Sydney. Elke wijk heeft wel een theater. In Newtown zijn de wat meer alternatieve zalen, zoals in **Enmore Theatre** in Enmore Road (tel. 9550 3666, www.enmoretheatre.com.au) en **New Theatre** in King Street. (tel. 9519 8958, www.newtheatre.org.au).

Kaartjes voor de meeste evenementen (ook sport) kunnen bij **Ticketek** worden besteld. Dat kan via de computer of in een van hun winkels in Sydney. In het centrum zijn er vier: in de platenzaak Hum op 55 Oxford Street, in het Theatre Royal in 108 King Street, bij het Hyde Park aan 196 Elisabeth

*Hip uitgaan*

Street en bij het metrostation Wynyard op 273 George Street. Een concurrent is **Ticketmaster**. Deze organisatie heeft twee vestigingen in het centrum van Sydney, bij Channel 7 op Martin Place en bij het State Theatre op Market Street.

- Ticketek, tel. 132849, www.ticketek.com.au.
- Ticketmaster, tel. 136100, www.ticketmaster.com.au.

In veel wereldsteden kunnen op de dag van de voorstelling niet verkochte kaartjes tegen gereduceerde prijzen worden aangeschaft. Sydney denkt nog na over zo'n systeem. Kijk bij www.halftix.com.au voor de mogelijkheden.

Bioscopen zijn er te kust en te keur. De grootste concentratie is te vinden aan George Street bij de Town Hall. Een grote uitbater is **Hoyts,** die overal in de stad vestigingen heeft. Hier worden de kaskrakers gedraaid. Een ander groot complex is bij het uitgaanscentrum Fox Studio's.

Er zijn ook kleinere onafhankelijke bioscopen, zoals **Dendy** (Circulair Quay en King Street Newtown) en **Academy Twin Cinema** (aan de Oxford Street) waar minder commercieel werk wordt vertoond. Daar komen ook niet Engelstalige films (ondertiteld) aan bod. Op maandag en/of dinsdag zijn de films meestal goedkoper..

Bijzonder zijn de openluchtbioscopen. De **Moonlight Cinema** in het Centennial Park en de **Open Air Cinema** in The Domain zijn de twee plekken waar in de zwoele avond eerst kan worden gedineerd en dan naar een film worden gekeken. Uiteraard alleen in de zomer.

Kings Cross is het centrum voor de (backpack)jongeren. Op Darlinghurst Road en de zijstraten gebeurt het allemaal. Hier is het **Palladium,** gevestigd in de Roslyn Street 2A, een discotheek in een oud theater met twee dansvloeren voor de doorgewinterde clubber en de mensen die gewoon rustig een biertje willen drinken. Op Bayswater Road 20 zitten de **Rhino Bar** en de **Sugareef** naast elkaar. Hier komen mensen die niet in de 'scene' willen thuishoren. In die straat zit op nummer 22 ook het **Underground Cafe**, dat in een grote kelder is gevestigd. Hier komen jonge mensen, veelal goed in de kleren, die zin hebben om te poolen of te dansen.

Wie de volle 24 uur wil doorgaan, kan terecht in de **Bourbon & Beefsteak Bar**, Darlinghurst Road 24. Deze bar is hier al sinds 1968 gevestigd voor de in Sydney gelegerde Amerikaanse soldaten. Nu een begrip in Sydney, 24 uur lang eten, dansen, drinken, gokken en... Als de dansvloer om 6 uur sluit, kun je elders in het complex aanschuiven voor een ontbijt.

The Rocks is de plek voor de rustieke pub, soms met livemuziek en altijd veel bier. **Lord Nelson** op de hoek van Kent en Argyle Streets is een van de oudste cafés van de stad, dat nog zelf zijn bier brouwt.

# 5

# Royal Botanic Gardens en omgeving

Weinig wereldsteden zijn zo uitbundig groen als Sydney. Een paar honderd meter van de drukte, de uitlaatgassen en de wolkenkrabbers in het zakencentrum bevindt zich een natuurlijk lustoord: de Koninklijke Botanische Tuinen en het aangrenzende groengebied The Domain. Op mooie dagen trekken de inwoners van Sydney en de toeristen en masse naar de grasvelden en de bomen. Om er te wandelen, in de zon te liggen, te studeren, in een broodje te happen, naar de vleermuizen te kijken of wat dan ook. Je zou hier bijna vergeten dat je in een metropool van ruim 4 miljoen inwoners bent. Om de hoek liggen historische gebouwen, welgestelde woonwijken en een levendige, maar ietwat louche uitgaansbuurt. Reden genoeg om de wandelschoenen aan te trekken en een lange trip te maken door Sydneys groen.

## ROYAL BOTANIC GARDENS

In de Royal Botanic Gardens stond vroeger de eerste boerderij van de kolonie. De naam van de baai Farm Cove is daarvan afgeleid. Landbouw was geen succes op deze plaats. Het gebied werd daarom maar een tuin.

Het meest opvallende aan de tuin zijn de enorme bomen. Hier krijgt elke boom de ruimte om zijn rijzige, indrukwekkende gestalte te tonen aan het publiek. En voor wie niets van bomen weet: de meeste hebben een bordje met de Latijnse en de Engelse naam erop. We zijn immers in een voor de wetenschap ingerichte verzameling groen.

Er is werkelijk alles aan gedaan om het de bezoeker zo gemakkelijk mogelijk te maken. Normaal gesproken stuit je op bordjes als 'Niet op het gras wandelen'. Maar

◀ In de Royal Botanic Gardens ▲ In de zon op een bankje in de Botanische Tuinen

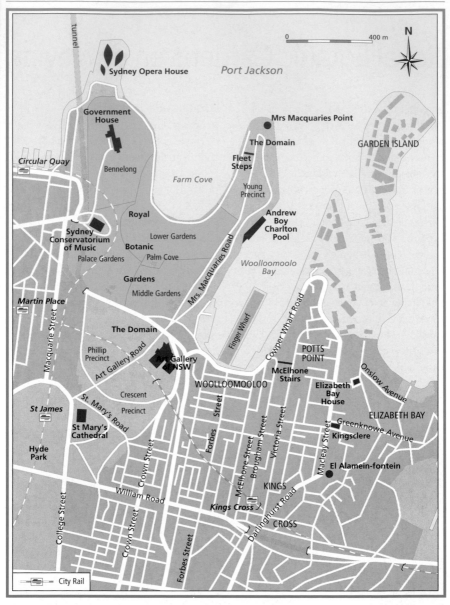

*De Botanische Tuinen en omgeving*

dit is Australië. De bordjes bij de ingang nodigen de wandelaars juist wél uit om op het gras te lopen, te liggen of om een boom te knuffelen. Natuurlijk mag niet alles. Een plant meenemen is bijvoorbeeld verboden. Maar dat spreekt voor zich.

## Bennelong

De Royal Botanic Gardens zijn opgedeeld in vijf sectoren met elk een eigen karakter. Mensen die vanaf het Opera House langs het water de tuinen binnen wandelen door de Queen Elisabeth II Gate, komen in Bennelong. In dit deel groeien majestueuze exemplaren van de Moreton Bay-vijg, de Kauriden en de Norfolk Islandden. Het voetpad langs het water voert langs de Australian Rockery, waar originele Australische planten groeien die in het voorjaar bloeien. De Australische flora is uniek in de wereld. Er komen meer dan 20.000 plantensoorten voor op het continent, waarvan 80 procent alleen in Australië te vinden is. Bij de rotsen is een klein aantal daarvan te zien.

## Palace Gardens en Palm Cove

In het gedeelte van de Palace Gardens is veel te zien: een wandeling door het tropisch regenwoud, een rozentuin, een fontein met de naam van de eerste gouverneur Arthur Phillip en een beeld voor de liefde. In dit deel ligt ook het tropische centrum: grote kassen in de

De kooi van de Wollemi Pine, de prehistorische Australische boom, is intussen verwijderd. De boom is nu groot genoeg om het zonder bescherming te redden.

vorm van een piramide, waar tropische planten groeien, zoals weelderige orchideeën en jades en andere kleurrijke tropische verrassingen. Voor een bezoek aan de kassen moet worden betaald.
Palm Cove is het derde deel van het park. Dit is het midden van de groene oase. Er is een bezoekerscentrum, hier beginnen de georganiseerde wandelingen en er vertrekt een treintje. Natuurlijk zijn hier souvenirs en koffie te koop. Palm Cove is mogelijk de meest bizarre plek van het park. In de bomen zitten of hangen de 'grote vliegende vossen', een soort vleermuis (□ p. 88).

## Middle en Lower Gardens

Het vierde en vijfde deel van de tuin heten (niet zo origineel) 'de lagere tuinen' bij het water en 'de middeltuinen' iets meer in het midden. Een wandeling door de Lower Gardens is aangenaam door de prachtige vergezichten over het water. Bij de Twin Ponds (Tweelingvijver) staan de grootste bomen van het park, zoals een gigantische vijgenboom en een niet minder indrukwekkende cipres.
Een andere opmerkelijke boom is de wensboom, niet ver van het bezoekerscentrum. In 1818 is een zaadje geplant afkom-

## VLIEGENDE VOSSEN IN BOMEN

*Als kleine zwarte plastic zakjes hangen de vleermuizen in de bomen van de Botanic Gardens.*

Sommige bezoekers kijken gefascineerd toe, andere lopen verschrikt een blokje om. De duizenden en duizenden vleermuizen in de bomen van de Royal Botanic Gardens zijn een attractie en een plaag tegelijkertijd. De 'vliegende vossen', zoals deze soort heet, zijn fascinerende dieren. Maar ze schrikken ook wel een beetje af, zoals ze als zwarte vaatdoeken in de bomen hangen. Ze kunnen wel een kilo wegen en hebben een spanwijdte van een meter, waarmee het de grootste vleermuizensoort op aarde is. Ondanks hun indrukwekkende verschijning zijn ze niet gevaarlijk, want de zoogdieren doen zich vooral tegoed aan fruit. De variant die hier te zien is, heet officieel de 'grijskopvleerhond' (*Pteropus poliocephalus)* die van nature aan de Australische oostkust voorkomt. Het zijn nachtdieren en wie geluk heeft, ziet tegen de avond rijen zwarte stippen in de lucht als de vleermuizen op weg gaan naar andere plekken om voedsel te zoeken. Een favoriete plek is het Centennial Park op maar een paar minuten vliegen van de Botanische Tuinen.

De diersoort wordt steeds meer bedreigd. Het natuurlijke leefgebied verdwijnt en de vleermuizen verzamelen zich massaal op de plekken waar het nog kan. Dit is voor de boom in kwestie niet altijd zo plezierig. In de Botanische Tuinen lijden de bomen erg onder de vleermuizen. Het aantal dieren wordt geschat op enige duizenden.

De bomen waarin de dieren zich ophouden, worden van hun bladeren beroofd. Uiteindelijk bezwijkt de boom aan het ongewenste bezoek of het duurt heel lang voordat de schade weer een beetje is hersteld. En dat vinden de beheerders van de Botanische Tuinen minder leuk, zeker als de vleermuizen het hebben gemunt op een van de eeuwenoude exemplaren van het park.

Wat te doen? Vangen of afschieten? Dat staat niet in het woordenboek van de beheerders van de tuin. Bovendien is de soort sinds 2001 als kwetsbaar omschreven, dus moet het dier in bescherming worden genomen. Afschrikken en verjagen is daarom de oplossing. Er is van alles geprobeerd. De bomen zijn in plastic gehuld, er is een fel knipperlicht gebruikt, er is gewerkt met sterk geurende stoffen, er is herrie gemaakt. Dat laatste had het meeste effect; vooral als er met hout op een metalen vat werd geslagen of als er schoolbellen werden gebruikt.

In 1992 wisten de beheerders de vleermuizen te verjagen. Maar ze komen terug. Hun aantal fluctueert van jaar tot jaar. Een echte oplossing voor het dilemma is er nog niet.

stig van het Norfolk Eiland, 1000 km verderop in de Stille Zuidzee. De boom kreeg de naam de Norfolk Pine en is in Sydney een populaire zeeboom geworden met zijn karakteristieke takken en naalden. Het verhaal gaat dat kinderen en geliefden zes keer om de boom moeten lopen, drie keer de ene kant op en drie keer de andere kant op, en dan een geheime wens kunnen doen. In 1935 is een nieuw exemplaar geplant toen de oude dreigde te bezwijken. De Middle Gardens vormen het meer wetenschappelijke deel van de tuin. Hier is het kantoor gevestigd en zijn wat kleinere tuintjes te zien, zoals een tuin vol met begonia's, een tuin met zeldzame en bedreigde planten en een tuin met cactusachtigen. Hier is ook het herbarium van New South Wales gevestigd.

Hoogtepunt van de Middle Gardens is de meest bijzondere boom van Australië: de Wollemi Pine. Deze boom werd in 1994 toevallig ontdekt door een boswachter in een groot natuurpark 150 km buiten Sydney in een ondoordringbaar bosgebied. De naaldboom bleek een soort te zijn, die al sinds het tijdperk van de dinosauriërs op aarde voorkomt. Er was bij de ontdekking nog maar een tiental exemplaren, dus de boom was meteen superzeldzaam. Eén brand en de boomsoort is weg. De boom kreeg zijn naam van het natuurgebied waarin hij groeit, het Wollemi National Park.

De Botanic Gardens begon met een groot kweekprogramma om de boom minder kwetsbaar te maken voor een ramp. Hij groeit in talrijke tuinen ter wereld. Sinds 2006 kan iedereen die dat wil, een Wollemi Pine kopen voor in de tuin.

## Wandelingen

De eigenaar van het park, de deelstaat New South Wales, wil de wandelaars zo veel mogelijk informeren. Elke dag om 10.30 uur is er een anderhalf uur durende

wandeling met een vrijwillige gids vanaf het Bezoekerscentrum in het midden van het park. De groepen zijn ongeveer vijftien personen groot. Bij grote drukte zijn er meer gidsen beschikbaar. Vaak heeft elke gids zijn of haar voorkeur en wat je te zien krijgt, is afhankelijk van welke gids je treft.

Elke twintig minuten vertrekt er een treintje voor de mensen (en kinderen!) die niet willen of kunnen wandelen en toch de tuin willen zien. In de winter van maart tot november is er op doordeweekse dagen een gratis lunchwandeling van een uur; verzamelen op 13 uur bij het Bezoekerscentrum in Palm Cove.

Op vrijdag is er om 14 uur een speciale rondleiding langs de Aboriginal sporen in het park. De wandeling, begeleid door een Aborigine, duurt een uur.

Maar er zijn natuurlijk ook wandelingen uitgezet om de tuin zelf te ontdekken. Je kunt verder gewoon op de bonnelooi gaan wandelen en je verbazen over wat je tegenkomt. Vergeet niet bij sluitingstijd het park te verlaten. De parkwachters maken een rondgang door het park en vragen iedereen weg te gaan. Als je dat niet doet, dan moet je samen met gulzige muggen een nachtje in het park doorbrengen en wachten tot het ochtendgloren. En je kunt ook nog een boete krijgen.

ⓘ ROYAL BOTANIC GARDENS, tel. 9231 8111, www.rbgsyd.nsw.gov.au. Voor het boeken van een Aboriginal wandeling: tel. 9231 8134; de openingstijden variëren door het jaar heen, maar het park opent grofweg om zeven uur 's ochtends en sluit bij zonsondergang;

## Government House

Behalve planten en bomen zijn er ook bijzondere gebouwen te bewonderen in en om de Botanische Tuinen. Een van de pronkstukken van Sydney en de parel van het park is het Government House uit 1845. Dit is de plaats waar de gouverneur,

## PARKEN ROND SYDNEY

Wie niet genoeg groen heeft gezien na een zwerftocht van een paar uur door de Botanische Tuinen kan nog twee tuinen van dezelfde organisatie bezoeken. Maar deze zijn niet zo gemakkelijk te bereiken als de tuin bij het Opera House.

Op ongeveer drie kwartier rijden van Sydney, op de weg naar Canberra, ligt **Mount Annan Botanic Garden**, een nieuwe, gigantisch grote botanische tuin, die helemaal is gericht op de Australische flora. Liefhebbers van deze bijzondere plantensoorten moeten zeker de reis naar de plek ondernemen. De tuin ging in 1988 open voor het publiek, dus de vegetatie is minder majestueus dan in de stad. Een auto is noodzakelijk, het openbaar vervoer naar de tuin is slecht (trein naar Campbelltown en dan nog met een bus). Bovendien is de tuin zo groot, dat een auto nodig is om van de ene kant naar de andere te komen, tenzij je een heel fanatieke wandelaar bent.

- Mount Annan Botanic Garden, Mount Annan Drive, Campbelltown, tel. 4648 2477, www.rgbsyd. nsw.gov.au, nsw.gov.au. Geopend: zomer 10–18, winter 10–16 uur; toegang 4,40 Au$.

Op twee uur rijden van Sydney ligt een andere tuin: de **Mount Tomah Botanic Garden**, op 1000 m hoogte in de Blue Mountains. Door die hoogte en het veel koelere weer gedijen hier heel andere planten. Er zijn veel planten uit de gematigde zones van andere werelddelen te zien. Ook dit park is eigenlijk alleen met eigen vervoer te bereiken.

- Mount Tomah Botanic Garden, Bells Line of Road; tel. 4567 2154, www.rgbsyd.nsw.gov.au. Geopend: zomer 10–17, winter 10–16 uur; toegang 4,50 Au$.

de afgezant van de Britse kroon, zijn huis had. Nu wordt het huis vooral gebruikt voor ceremoniële ontvangsten. Australië is een onafhankelijke staat, maar de koningin (of koning) van Engeland is nog altijd het staatshoofd. Elke deelstaat heeft een afgezant, de gouverneur. De gouverneur-generaal is de afgezant van de kroon

in de hoofdstad Canberra.

Het Government House in Sydney is een mooi voorbeeld van nepgotiek. Het ziet er met zijn torentjes en zijn kantelen uit als een kasteel, maar is natuurlijk niet middeleeuws. Op de begane grond zijn de eetkamer, danszaal en de *drawing rooms*. De laatste zijn kamers, waar de dames zich na het diner konden terugtrekken. De heren bleven dan sigarenrokend en drank drinkend in de eetzaal achter, de dames konden zich poederen in de wachtkamer. De kamers zijn gevuld met meubelstukken en ornamenten uit de 19de en 20ste eeuw. Op de bovenverdieping bevinden zich de kamers die werden gebruikt als gastenverblijven voor hoog bezoek. Tijdens officiële plechtigheden en ontvangsten is het Government House gesloten voor het publiek. Anders, en dat is meestal, kan iedereen aansluiten bij een gratis excursie door het gebouw die elk heel en half uur vertrekt en ongeveer drie kwartier duurt. Reserveren kan niet. Bij de receptie aan de poort moet je wel een tijdstip boeken en een kaartje halen. De groepen zijn maximaal twintig personen groot, maar meestal kun je meteen mee of moet je hooguit een halfuurtje wachten. Bellen heeft wel zin om te weten of er geen officiële ontvangsten zijn. Ook de website geeft daarover uitsluitsel.

De gids vertelt tijdens de rondleiding vooral over de relatie met de Engelse troon. Veel schilderijen aan de muur zijn ook van Britse vorsten en uiteraard zijn alle gouverneurs op het doek vastgelegd. In 2005 betrok Marie Bashir het gebouw; de eerste vrouwelijke gouverneur in Australië en, ook bijzonder, van Libanese achtergrond. Haar benoeming benadrukte het multiculturele karakter van Sydney. Bashir is de 37ste gouverneur van New South Wales sinds Arthur Phillip.

Het House is te bereiken door de imposante Government House Gate aan de Macquarie Street uit 1869 en dan een korte wandeling door de tuinen. Voor de liefhebbers: vlak voor de ingang van de tuin van het House ligt een 8 m hoge composteringseenheid van het park. Al het organisch afval van de Botanische Tuinen gaat naar 'Sylvester the Digester', zoals de installatie wordt genoemd. De compost wordt elders in de tuin gebruikt.

ⓘ GOVERNMENT HOUSE, Royal Botanic Gardens, tel. 9931 5222, www.hht.net.au. De eerste excursie vertrekt 's morgens om 10.30, de laatste om 15 uur.

## Conservatorium of Music

Het opvallende gebouw iets ten zuiden van de Government House Gate is het Conservatorium of Music van de Universiteit van Sydney. Het gebouw is verrezen in de stallen en gastenverblijven die Francis Greenway in 1815 heeft gebouwd. De stallen hadden duidelijk tekenen van Schotse kastelen die hij eerder had ontworpen. In 1915 besloot de overheid dat er op die

plaats een conservatorium moest komen. Dat gebouw is als het ware tussen de buitenmuren van de stallen neergezet. Op enige afstand is te zien dat er een gebouw in een gebouw staat. Het conservatorium werd tussen 1997 en 2001 grondig verbouwd, waarbij de fundamenten van de stallen speciale aandacht kregen.

In het conservatorium worden ook optredens gehouden, maar de entourage haalt het natuurlijk niet bij die van het Opera House. De grootste zaal in het conservatorium is de Verbrugghen Hall, genoemd naar de eerste directeur. Henri Verbrugghen was een dirigent en violist uit België. De komst van een Europeaan als directeur moest de Europese aspiraties van het centrum vormgeven. Verbrugghen wist de regering van NSW te verleiden een eerste, professioneel symfonieorkest op te richten. De zaal die naar hem is vernoemd, is klein en intiem met 497 stoelen. De zaal wordt geroemd om zijn akoestiek.

ⓘ CONSERVATORIUM OF MUSIC, tel. 9351 2222, www.music.usyd.edu.au/friends/visit.shtml. Geopend: ma.–vr. 9–17 uur; toegang gratis. Er is een folder met uitleg en een rondleiding. De rondleiding kan ook worden geprint vanaf de website.

## Garden Palace

Iets ten zuiden van het conservatorium stond het meest imposante gebouw (op de Opera na misschien) dat Sydney ooit heeft gekend. Het Garden Palace werd gebouwd voor een wereldtentoonstelling in 1879. Het complex was 244 m lang en had een koepel van 64 m hoog. Het werd in acht maanden neergezet. Het kreeg grote faam bij de Sydneysiders vanwege de Grote Internationale Tentoonstelling in 1879-1880. Ruim één miljoen bezoekers vergaapten zich aan al het moois dat kunsten, wetenschap en industrie te bieden hadden. Het was ook de tijd dat het elektrische licht werd geïntroduceerd. Dankzij dat licht kon het gebouw in een razendsnelle tijd

*Een oase van rust*

wekkende bomen en ander groen. Dit park was een soort privétuin voor de eerste gouverneur Arthur Phillip en ging in 1830 open voor het publiek. Het werd ook gebruikt voor militaire oefeningen en politieke bijeenkomsten.

Ook dit park bestaat uit een aantal deelgebieden, waarvan de **Crescent Precinct** het dichtst bij de stad ligt. Dit deel grenst aan de grote katholieke basiliek van de stad, de St Mary's Cathedral. Het meest markante gebouw in dit deel van het park is de **Art Gallery of New South Wales.** Het gebouw is gratis toegankelijk, voor sommige speciale tentoonstellingen moet worden betaald.

Met de bouw van het huidige museum is in 1885 begonnen (het museum is opgericht in 1874). De voorgevel met zijn zuilen is afgerond in 1909. De stad Sydney wilde met de bouw bewijzen dat de stad net zo'n mooi kunstmuseum kon neerzetten als de moederstaat Engeland. En de stad wilde dat het gebouw kon wedijveren met een soortgelijk museum in Melbourne.

In 1971 is de tentoonstellingsruimte meer dan verdubbeld tot 4900 m²; het bekijken van alle zalen en alle kunstwerken is daarmee een heuse dagtaak geworden. Wie scherp oplet, ziet op de gevel buiten de naam 'Michel Angelo' staan. Inderdaad, hiermee wordt de beroemde Italiaanse beeldhouwer bedoeld, alleen anders gespeld. De bouwers van het museum hadden namelijk de spelling overgenomen uit het invloedrijke Engelstalige standaardwerk *Handbook of Painting the Italian*

worden neergezet, want de arbeiders konden dag en nacht aan het project werken. Helaas: in 1882 brandde het paleis af. De brand liet de stad in grote verslagenheid achter. Nu herinnert alleen nog een fraai gietijzeren hek aan het gebouw (Garden Palace Gate). Verder overleefde een granieten standbeeld van een olifant uit Ceylon de fatale brand. Dat beeld is nu te zien in het Powerhouse Museum.

## THE DOMAIN

Wie na uren dolen en genieten in de Royal Botanic Gardens nog niet genoeg heeft van stadsgroen, kan vrolijk doorwandelen naar **The Domain**, het aangrenzende groengebied met nog eens 28 ha indruk-

*School* uit 1837. En de auteur daarvan schreef Michel Angelo in plaats van het hedendaagse Michelangelo.

Binnen is er een vaste collectie te zien van Australische, Europese en Aziatische kunst. Het museum legt de nadruk op kunst uit Australië uit het einde van de 19de en de 20ste eeuw, maar er is ook hedendaagse kunst te zien. De opbouw van de collectie begon in 1875 met de aanschaf van het werk Apsley Falls van Conrad Martens, de meest gerespecteerde schilder van de kolonie. Er hangt werk van beroemde Australische schilders, zoals Arthur Streeton, Tom Roberts en Frederick McCubbin uit de 19de eeuw en van Sidney Nolan, Hans Heysen en Arthur Boyd uit de 20ste eeuw. Ook is er werk aangekocht in Engeland. Er is ook uitgebreid aandacht voor Aboriginal kunst, met tentoongesteld werk van de bekende Aboriginal kunstenaars Clifford Possum en Robert Thomas.

ℹ️ ART GALLERY OF NEW SOUTH WALES, Art Gallery Road, tel. 9225 1700, www.artgallery.nsw.gov.au . Geopend: dag. 10–17, op wo. tot 21 uur; dag. rondleidingen om 11, 12, 13 en 14 uur.

**Verder op The Domain**

Aan de andere kant van de Art Gallery Road is het **Phillip Precinct** van The Domain. Op dit weiland vinden veel openluchtconcerten plaats. Beroemd is het kerstliedjes zingen in de dagen voor kerst (*Carols by Candleligt*) en verder zijn er openluchtopera's (*Opera in the Park*) en concerten (*Symphony under Stars*).

De tocht door The Domain kent zijn hoogtepunt op het schiereiland. Alle wegen leiden uiteindelijk naar **Mrs Macquaries Point**. Bij het puntje van het schiereiland is een in de rotsen uitgehouwen stoel te vinden. Die is in 1816 gemaakt voor Elisabeth Macquarie, de echtgenoot van de toenmalige gouverneur Lachlan Macquarie. Zijn vrouw ging er graag zitten om naar de binnenvarende schepen te kijken. Dit is het punt waar Sydney en de talrijke toeristen zich op oudjaar verzamelen om naar het vuurwerk te kijken. Het puntje biedt een onbelemmerd uitzicht op het Opera House en de brug daarachter. Televisiebeelden die op deze plaats zijn opgenomen, gaan in de nieuwjaarsnacht de hele wereld over. Ook als er geen vuur-

*Het Andrew Boy Charlton zwembad in de haven is gevuld met zout water.*

*Dit bekende beeldmerk op een reclamebord uit de jaren zeventig heeft in Sydney een monumentenstatus. Het mag niet worden veranderd.*

werk is, drommen toeristen op dit punt samen, al is het maar voor een kiekje.

Op de grasvelden op het schiereiland met uitzicht op het operagebouw worden zomers ook talrijke voedselfestivals georganiseerd. In de zomer is er een maandlang een openluchtbioscoop. Als de avond is gevallen, wordt een enorm scherm omhoog getakeld en dat biedt de filmkijkers een ongewone cinematografische ervaring. Deze plek is ook het exclusieve dansdomein van de beroemde Harbour Party, in de week voor de Mardi Gras Parade (zie ook □ p. 116).

Dit gedeelte van The Domain is te bereiken door de zogenoemde **Fleet Steps.** Deze trap is in 1908 aangelegd voor het bezoek van de Amerikaanse vloot. In augustus 1908 deden zestien, door president Teddy Roosevelt gestuurde, slagschepen Sydney aan. Sindsdien hebben veel mensen op deze plaats voor het eerst voet op Australische bodem gezet, inclusief de huidige vorstin Elizabeth II. Zij ging hier aan land

toen ze in 1954 als net gekroond staatshoofd voor de eerste keer Australië bezocht. Er is een monument om dit te herdenken.

Het opvallendste aan de rustige kant van het schiereiland is het zwembad **Andrew Boy Charlton,** waar menigeen door het zoute water zijn baantjes trekt. Vanaf hier is er uitzicht op de marinebasis van Potts Point en de enorme hijskraan op de kade en de Finger Wharf. In één woord fantastisch (□ p. 96)!

## WONEN AAN DE HAVEN

Tussen al het groen van The Domain en Royal Botanic Gardens en de Tasmanzee liggen wijken, waar elke Sydneysider graag zou willen wonen. Niet dat de huizen zo bijzonder zijn (er staat veel lelijks tussen schitterende optrekjes), maar het uitzicht op de haven maakt het wonen hier exclusief.

## Kings Cross

De bekendste wijk in dit deel van de stad is **Kings Cross**. Dit is de wijk van het uitgaansleven, van de goedkope hotels voor backpackers, de junks en de hoeren, kortom, het ruige deel van de stad. In sommige straten kun je 's avonds beter niet wandelen, maar overdag is het een levendig stukje Sydney, heel anders dan elders.

Kings Cross valt op door het enorme rode **Coca-Colareclamebord,** bevestigd voor het Millennium Hotel, dat geen hotel is, maar een luxe appartementencomplex aan het einde van William Street.

Het Coca-Colabord stamt uit 1974. De neonreclame van 13 m hoog en 40 m breed was in die tijd sensationeel. Het linker deel veranderde niet, het rechter deel werd verlicht door 800 fluorescerende lampen die dertien patronen konden oproepen. Het knipperende bord was de eerste grote neonreclame die Sydney moest opfleuren. Het was destijds ook de grootste reclameuiting van het zuidelijke halfrond.

Het neonbord is inmiddels veel meer geworden dan de zoveelste reclame-uiting voor de Amerikaanse multinational. Het knipperende reclamebord is voor Sydney en voor de inwoners van Kings Cross een icoon geworden. Niemand die er dus over piekert om het aanprijzend geknipper voor de frisdrank de nek om te draaien. Het levert de eigenaar, een investeringsmaatschappij, nog altijd een miljoen dollar per jaar op aan opbrengsten.

De William Street is een brede achtbaans stadssnelweg langs oninteressante gebouwen uit de jaren zeventig die in de voormalige Sovjet-Unie niet zouden misstaan. De straat is in 2006 een beetje gefatsoeneerd: de trottoirs zijn verbreed om een soort wandelpromenade te vormen tussen Hyde Park (het centrum) en Kings Cross. Op Kings Cross is Darlinghurst Road de straat waar de backpackershotels om klanten schreeuwen. De iets oudere jongeren

vinden hier gewoon een goedkoop hotelletje. En voor de welgestelde toerist zijn er ook dure hotels. De wijk trekt kortom een boeiende mix aan mensen. De restaurants weerspiegelen dit: goedkope eetzaken naast trendy restaurants.

De wijk kreeg in de jaren zestig zijn ietwat ruige karakter, wat samenviel met de Vietnam oorlog. Ook Australië stuurde troepen naar Azië en het verzet daartegen was in Kings Cross, plaats van vrijbuiters en hippies, het felst. De ruigheid nam toe in de jaren zeventig en tachtig. Pooiers, hoeren, drugsverslaafden, criminelen: Kings Cross was het spreekwoordelijke afvoerputje van Sydney.

Nu is de wijk meer bohemien. De prijzen van het onroerend goed gaan omhoog en het wordt trendy om in deze wijk te wonen. Bijzonder is ook dat hier, aan de Macleay Street 48, de eerste hoogbouw van Sydney verrees. In 1912 werd **Kingsclere** gebouwd van acht verdiepingen hoog om welgestelden te trekken. De huizen waren in die tijd vol met luxe, zoals twee balkons en twee badkamers. Trappen lopen was er niet bij, er waren automatische liften.

Maar goed, eigenlijk is er weinig spectaculairs te zien in een ruige uitgaansbuurt, maar te beleven des te meer. Goed dan, er is een fontein in de **Fitzroy Gardens**, een stenen plein aan het einde van Darlinghurst Road. Uit de El Alamein-fontein uit 1961 spuit water dat de vorm aanneemt van een enorme bol. De fontein wordt daarom ook de 'Olifantendouche' genoemd. Op dit plein vindt ook twee keer per maand de organische markt van Sydney plaats, elke tweede en vierde zaterdag van de maand.

Kings Cross is: cafés, restaurants, dansclubs; het vertier gaat hier tot diep in de nacht door, alcohol vloeit rijkelijk en drugs zijn niet ver weg. *Plan B*, boven de Bourbon Bar aan Darlinghurst Road, is de

## ZWEMPARADIJS

*Baantjes trekken in Sydney-Noord met zicht op de Harbour Bridge*

Nederland heeft de reputatie een land te zijn van zwemmen en zwembaden, maar in Australië is dat nog veel meer het geval. Elke wijk heeft een zwembad, de sport is enorm populair. Veel olympische zwemkampioenen komen uit dit land, denk maar aan Ian Thorpe die vijf gouden medailles behaalde op de Olympische Spelen, maar niet op het koningsnummer, de 100 m vrij, want daar vond hij Pieter van den Hoogenband op zijn weg.

Dat zwemmen zo populair is, heeft dezelfde oorzaak als in Nederland: iedereen woont in de buurt van het water. Bijna de gehele bevolking van Australië leeft op minder dan 40 km van zee en een dagje strand is onmetelijk populair in een land waar de temperatuur vaak tot hoge waarde oploopt.

Baantjes zwemmen is populair. In de zwembaden (bijna altijd 50 meterbaden) gelden daarom strikte regels. In de meeste zwembaden zijn met lijnen banen uitgelegd. Aan de kop staan borden die aanduiden welke slag er in de baan mag worden gezwommen, veelal met een indicatie *Fast, Medium* of *Slow*. Soms is er een klein deel van het bad waar kan worden gespeeld.

meest genoemde club. Vrijdagavond is het damesavond, compleet met mannelijke strippers.

Wie de andere bezienswaardigheid van Kings Cross bekijkt (de **McElhone Stairs**, een oude stenen trap uit 1870), kan naar het wat bedaardere Woolloomooloo wandelen, waarschijnlijk de enige plaatsnaam in de wereld met acht o's. Dit is de woonwijk die het dichtst bij het centrum ligt en vooral de happy few leeft hier. De betekenis van de naam is niet helemaal duidelijk. Het is waarschijnlijk een Aboriginal woord, dat 'grote zwarte kangoeroe' betekent, of misschien 'meer dan genoeg vis'. Maar Australischer dan zo kan een wijk niet heten.

### Woolloomooloo
Het opvallendste van Woolloomooloo is

Het mooiste bad van Sydney is het **Andrew Boy Charlton**. Dit bad aan de haven van Sydney is vernoemd naar een van de Australische zwemhelden, die in 1928 op de Olympische Spelen van Amsterdam zilver won op de 1500 m en de 400 m vrije slag. Het zwembad is in 2002 verbouwd. Het ziet er werkelijk prachtig uit. Het bassin verheft zich een paar meter boven het water van de haven. Glazen wanden houden de soms frisse wind tegen en bieden ruggensteun aan de vermoeide zwemmers. Schrik niet: het water is zout. Het bad is gevuld met gezuiverd water uit de haven.

Een ander spectaculair bad ligt aan de noordkant van de brug, ook vlak bij het water. De **North Sydney Olympic Pool** biedt de zwemmer uitzicht op de Harbour Bridge. De sportievelingen worden gadegeslagen door de treinpassagiers die over de brug reizen. Dit bad stamt uit 1936 en is gebouwd op de plek waar materiaal was opgeslagen voor de bouw van de Sydney Harbour Bridge. Destijds ging het zwembad als *wonderpool* door het leven vanwege het bijzondere zuiveringssysteem. Ook dit water is zout. In dit bad zijn in het verleden diverse wereldrecords gezwommen.

Voor de zwementhousiastelingen is ook het ondergrondse zwembad **Cook and Phillip** een mooie mogelijkheid. Vlak voor de Olympische Spelen in 2000 moest er in het hartje van de stad een groot zwembad komen. Het ligt er, onder het plein voor de St Mary's Cathedral. Het zwembad is modern en efficiënt en kent een groot bad om te spelen, waardoor het ook geschikt is voor kinderen. Het water is zoet.

En dan is er nog een veertigtal andere zwembaden, waarvan **Sydney Olympic Park Aquatic Centre** (op de Olympic Boulevard in Homebush) het noemen waard is. Op gewone dagen is de wedstrijdbak, waar Pieter van den Hoogenband in 2000 zijn triomfen vierde, gewoon open. Dit supermoderne complex bevat twee 50 meterbaden en nog wat kleinere baden.

En alsof dit niet genoeg is, opent in 2007 het overdekte **Ian Thorpe Aquatic Centre** in de wijk Ultimo, vernoemd naar de Australische zwemlieveling Ian Thorpe. Het bad is ontworpen door Sydneys meest spraakmakende architect Harry Seidler (□ p. 20). Het Ian Thorpe Aquatic Centre heeft een dak van golven en zal ongetwijfeld zijn plaats krijgen in de rij van bijzondere gebouwen in de stad.

ⓘ ANDREW BOY CHARLTON, 1C Mrs Macquaries Road, tel. 9358 6686, www.abcpool.org. Geopend: sept.– mei dag. 6–19 (wintertijd), 6–20 (zomertijd).

COOK AND PHILLIP, 4 College Street, tel. 9326 0444, www.cookandphillip.com.au. Geopend: ma.–vr. 6–22 uur, za. en zo. 7–20 uur;

NORTH SYDNEY OLYMPIC POOL, 4 Alfred Street South, Mission Point, tel. 9955 2309, www.northsydney.nsw.gov.au. Geopend: ma.–vr. 5.30–21 uur, za. en zo. 7–19 uur.

SYDNEY OLYMPIC AQUATIC CENTRE, Olympic Boulevard, Sydney Olympic Park, tel. 9752 3666, www.sydneyaquaticcentre.com.au/. Geopend: ma.–vr. 5–21, za. en zo. 6–20 uur, in de winter sluit het bad op za. en zo. om 19 uur.

de **Finger Wharf** in de Woolloomooloo Bay. Tot de jaren zeventig was dit de passagiers- en goederenkade in Sydney. Dit plekje heette de Cathedral of Commerce, zo druk was het er. Later verdween veel havenactiviteit naar Botany Bay in het zuiden, een plek die makkelijker bereikbaar is voor grote schepen.

De werf werd verwaarloosd en in 1987 wilde de regering van New South Wales het gebouw slopen. Maar dat viel verkeerd. De protesten waren massaal en de vakbonden riepen een zogenoemde 'Green Ban' uit over het project. Het was besmet werk en geen enkele bouwfirma wilde de vingers aan het complex branden. Na lang soebatten werd besloten tot renovatie van de oude werf en het resultaat is wonderbaarlijk.

Loop even de werf op, langs de prijzige res-

*Finger Warf in Woolloomooloo*

taurants waar je etend naar het groen van The Domain kunt kijken. Halverwege kun je het complex van binnen bewonderen, waar veel van de oorspronkelijke elementen bewaard zijn gebleven. Stadsvernieuwing zoals het moet, maar wel heel duur. Hier is de toegang tot de prijzige appartementen die in dit deel van de werf zijn gebouwd. Naar verluidt zou de Australische filmacteur Russell Crowe het appartement aan de kop van de werf hebben gekocht. Ook zijn er enkele informatiepanelen die iets over de geschiedenis vertellen.

Aan de voet van de werf zit hotel Blue, het voormalige W Sydney, met een fantastische foyer. Meestal zijn de ontvangstruimtes van vijfsterrenhotels altijd hetzelfde, deze is beslist anders. Ook in de 140 kamers, vanaf 225 Au$, is het verleden van het gebouw niet verstopt achter dikke lagen stuc. De oorspronkelijke structuur van het gebouw is gewoon te zien, wat het hotel bijzonder maakt.

In de binnenstraat van de werf zit de Water Bar, een mooie plek om even te loungen. Na acht uur 's avonds moeten de he-

ren een lange broek dragen.

Tegenover de ingang van het complex staat een kraam die als café Harry the Wheels (9347 3047) door het leven gaat. Om onduidelijke redenen is deze eetkraam enorm populair en duikt hij in elk toeristenboekje op. Harry the Wheels staat vooral bekend om zijn lekkere (hartige) taartjes. Harry zit er al sinds 1945 en menig beroemdheid heeft er een keer een taartje gekocht als je de foto's aan de muur moet geloven. De populariteit heeft zonder meer te maken dat het hotel W Sydney, nu Blue, de eerste W buiten de VS was. Om die reden komen nog steeds veel Amerikaanse toeristen naar dit stukje Sydney. De haven hier is niet helemaal verlaten: de marine is nog aanwezig. Tegenover de Finger Wharf liggen altijd wel wat grijze marinefregatten en er staat een grote kraan. Dit stukje van de haven is militair terrein en dus niet vrij toegankelijk.

**Potts Point en meer**

Iets verder ligt alweer de volgende geliefde woonwijk: **Potts Point**. Veel bijzonders er niet te zien, maar een wandeling door de smalle straatjes van deze luxe woonwijk is altijd leuk, vooral vanwege het mooie uitzicht op de haven. Het **Yellow House** in de hoofdstraat de Macleay Street, is een vermelding waard. Het is een opvallend geel gebouw, nu is het een winkelcentrum met aandacht voor moderne Australische en Nieuw-Zeelandse kunst. Gratis toegankelijk.

Wie langs de haven blijft wandelen, komt in Elizabeth Bay, weer zo'n woonwijk aan het water. Hier is een van de parels van de Historic House Trust te bewonderen, het witte **Elizabeth Bay House** uit 1835–1839. Dit gebouw was gebouwd voor de secretaris van de kolonie, Alexander Macleay. Sommigen reppen over het 'mooiste koloniale huis' van Sydney. In betere tijden lag om dit huis een botanische tuin van 12 ha, nu is het omgeven door de soms foeilelijke bebouwing van de wijk. Een aanradertje voor wie van grote huizen houdt, maar verder niet heel bijzonder.

🛈 ELIZABETH BAY HOUSE, 7 Onslow Avenue, Elizabeth Bay, tel. 9356 3022, www.hht.net.au. Geopend: di.–zo. 10–16.30 uur; entree 8 Au$, kind 4 Au$.

# CULINAIR SYDNEY

Sydney staat niet alleen bekend om zijn mooie stranden, het mooie weer en het water. Sydney staat ook synoniem voor fantastisch eten. Of het nu om gezonde ontbijten gaat, verrassende lunches of copieuze diners, Sydney heeft het beste te bieden. Het beste uit alle delen van de wereld ook, want bijna nergens anders zijn zoveel buitenlandse keukens zo goed vertegenwoordigd als in Sydney. Dit is het beste te zien in de King Street in Newtown, de restaurantstraat van Sydney, waar elke belangrijke keuken van de wereld een vestiging heeft. Deze straat is bij menigeen dan ook favoriet.

### Typisch Australisch

Wat is nu typisch de Australische keuken? Het is lastig om deze vraag te beantwoorden. De Australische keuken is enerzijds de lappen vlees met doorgekookte groente en aardappelpuree en de vette fish and chips, uit Groot-Brittannië overgenomen. Anderzijds kan de Australische keuken met gemak wedijveren met de Europese nouvelle cuisine. Typisch Australische producten zijn Vegemite, de zoute, plantaardige spread voor op brood, en de TimTams, de chocoladekoekjes.

*Sydney staat synoniem voor lekker eten.*

De Australische wijn is wereldberoemd.

### BYO

Het is even wennen, maar wie uit eten gaat in Australië, mag vaak een fles wijn of bier meenemen naar het restaurant. Let op de letters BYO (Bring Your Own) bij de ingang. De ober ontfermt zich over de fles, haalt de kurk eruit of schroeft de dop eraf en zet glazen op tafel. Dit alles voor het schappelijke bedrag van een *corckage fee* van één of twee dollar per persoon. Gewoon even bij de slijter (*bottle shop*) om de hoek binnenstappen, kiezen en klaar. De keuze bij de slijter is veel groter dan de wijnen die op de kaart van het restaurant staan, dus je kunt precies de wijn uitzoeken die bij je gerecht past. Omdat restaurants soms krankzinnige prijzen vragen voor een fles wijn of een biertje, maakt dit het uit eten gaan in Sydney goedkoper. Wel opletten. Soms is een restaurant *fully licensed* en dan is BYO meestal niet de bedoeling. Of soms mag het restaurant wel bier schenken en geen wijn. Er zijn dus uitzonderingen. Meestal doen de wat goedkopere restaurants aan BYO, de wat duurdere niet.

*Sushi eten in een rij*

Bij feestjes en partijen in Sydney is BYO het uitgangspunt. Je neemt je eigen drank mee naar een verjaardag bij iemand thuis. De flesjes geef je bij de ingang af aan de gastheer die ze vervolgens ergens koel wegzet, waarna ze door de feestende massa soldaat worden gemaakt. Als iedereen evenveel meeneemt als hij drinkt dan is er altijd genoeg en nooit over. Een slim uitgangspunt. Een jarige verwacht veelal geen cadeautjes.

Bij sommige bijeenkomsten wordt weleens gevraagd iets te eten mee te nemen *Bring a plate* heet dat dan. Dit leidt bij nieuwkomers soms tot misverstanden. Ze komen dan met lege borden naar de gastheer in de veronderstelling dat er niet genoeg eetgerei is voor alle gasten. Het is echter de bedoeling dat er wat (lekkers of hartigs) op de borden ligt, waarvan iedereen dan mag proeven.

## Koffie

Een verhaal apart is het koffiedrinken. Dit is tot een grote kunst verheven met een geheel eigen vocabulaire, die uniek is voor Australië en Nieuw-Zeeland. De koffie van

*In dit restaurant mag je je eigen fles wijn of bier meenemen (BYO = Bring your own).*

de ketens (Starbucks en Gloria Jean's) is minder goed dan van zo maar een koffieshop op de hoek van de straat. De meeste koffieshops sluiten op het einde van de middag. Daarna is het vinden van een goede kop koffie een stuk ingewikkelder geworden. 's Avonds koffiedrinken hoort niet bij de cultuur in Australië, maar het kan natuurlijk wel. Gewoon zoeken en vragen.

Een korte dictionaire voor het koffiedrinken in Sydney (maar onthoud dat Melbourne de koffiehoofdstad is van Australië, voornamelijk door de nog sterkere Italiaanse invloed daar):

*Short black* – een espresso, sterke zwarte koffie in een klein kopje

*Vaak wordt een latte geserveerd met een afbeelding van een varen in het melkschuim.*

*Long black* – zwarte koffie in een grotere kop met meer water

*Ristretto* – supersterke koffie, een espresso maar dan met minder water

*Cappuccino* – spreekt voor zich; koffie met geklopt schuim. Er wordt altijd cacaopoeder op het schuim gestrooid, soms in een mooi patroon

*Flat white* – koffie met melk maar dan een klein beetje schuim, onze koffie met melk

*Latte* – koffie met veel melk, koffie verkeerd

*Mocha* – koffie met chocolademelk

*Machiato* – zwarte sterke koffie in een glas met een toefje melk

*Vienna Coffee* – koffie met slagroom

*Affogato* – koffie met ijs

*Babychino* – geklopte melk (voor kinderen) Uiteraard kun je ook cafeïnevrije koffie bestellen (decaf). Je vraagt dan om een decaf long black. In sommige wat meer alternatieve koffietenten bestaat de mogelijkheid om sojamelk te gebruiken in plaats van koemelk.

En dan is er *plunger coffee*, de meeste trendy restaurants en coffeeshops wagen het niet dit te serveren, maar in bijvoorbeeld een Bed and Breakfast is het niet anders. De gemalen koffie gaat in een glazen pot, warm water erbij, even laten trekken en dan druk je een zeef naar beneden. Aan de onderkant van de markt, in goedkope motels, kun je veelal zelf koffie zetten met Nescafé. Aan filterkoffie doen ze nauwelijks in Australië.

Maar je kunt ook gewoon thee bestellen natuurlijk, want Australië is en blijft een voormalige Engelse kolonie.

# 6

# Bij het Centennial Park

Het is al eerder gezegd: Sydney is rijk aan parken, reservaten en plantsoenen. Een grove telling komt uit op meer dan 2000 groene plekjes in de stad. En elk stukje groen, hoe klein ook, is vernoemd naar de een of andere lokale beroemdheid. Het mooiste park in de binnenstad is het Centennial Park, ongeveer 5 km van het centrum. Wat het Central Park voor New York is en het Vondelpark voor Amsterdam, dat is het Centennial Park voor Sydney. Het ligt zo dicht bij de stad als het Vondelpark bij de grachtengordel en het heeft een beetje de omvang van het beroemde park in New York. Het Centennial Park is een groengebied zoals een groengebied moet zijn. Alleen jammer dat er auto's doorheen mogen rijden.

Het park wordt omringd door veelal yuppieachtige wijken. Dit gebied is de tweede keuze voor de financieel meer draagkrachtigen. Als er geen geld is voor uitzicht op haven of zee, dan is een optrekje in de buurt van het park ook niet slecht.

## CENTENNIAL PARK

Het is een waarlijk groot park, het Centennial Park. Het groengebied omvat 189 ha grasvelden, vijvers en bosschages. Ter vergelijking: het Amsterdamse Vondelpark is slechts 47 ha, het grotere broertje in New York is bijna twee keer zo groot. Het park is in 1888 opgericht als blijvende herinnering aan het eeuwfeest van de Britse kolonisatie.

In 1811 was het gebied een drassige streek met meertjes, bronnen en duinen. Het water bleek er van goede kwaliteit te zijn en

▲ De wijk Surry Hills is the place to be, getuige de aanwezigheid van hippe restaurants.
◀ Het Centennial Park is vier keer zo groot als het Vondelpark in Amsterdam.

## DE GEBOORTE VAN EEN LAND

*Voetballen voor het Federation Pavilion in het Centennial Park*

Op 1 januari 1901 verzamelden zich een kwart miljoen mensen om getuige te zijn van de geboorte van de staat Australië. Tot dan toe bestond het land uit zes onafhankelijke kolonies en die besloten toen nauw te gaan samenwerken. De belangrijkste toegangspoort naar het park, Paddington Gate, was versierd om een processie van militairen en burgers welkom te heten.

De ceremonie vond plaats in wat nu de Federation Valley heet, in het noordoostelijke deel van het park. Daar is met wat fantasie een vallei te zien. Grote hoeveelheden mensen konden op die plek getuige zijn van de plechtigheden in het speciaal voor de gelegenheid gebouwde Federation Pavilion. Het was een met eenvoudige bouwmaterialen gemaakt stadion met plaats voor 7000 hoge gasten, een koor van 10.000 schoolkinderen en een volwassen koor van 1000 mensen.

Het moet een plechtige bijeenkomst zijn geweest. Hoogtepunt was het uitroepen van de Commonwealth of Australia door de eerste gouverneur-generaal. 'Eén natie voor een continent en één continent voor een natie,' zei de eerste premier van Australië, Edmund Barton, in zijn toespraak daarna. Kanonnen bulderden. De ministers werden ingezworen en het koor van schoolkinderen zong *Federated Australia*, waarna de twee koren het *God Save the Queen* zongen. Australië was één. De Federation Stone werd onthuld, een zeskantige steen met daarop de namen van de zes koloniën die gingen samenwerken en het jaartal waarin de kolonie is opgericht.

De eerste belangrijke wet die het nieuwe land vervaardigde, was meteen omstreden. De regering besloot tot een White Australia Policy die inhield dat alleen blanke mensen naar het nieuwe land mochten emigreren. Overigens was Australië in die tijd niet het enige land met een dergelijke apartheidswet. Australië wilde met de wet de toestroom van Chinezen indammen, die massaal waren afgekomen op de *goldrush*. In 1950 werden de scherpe kantjes van de wet gehaald. Toen mochten Aziatische jongeren komen studeren. Pas in 1973 werd de wet helemaal ingetrokken.

Het eeuwfeest van de geboorte van het land werd in 2001 ook in het Centennial Park gevierd. Er kwam een nieuwe toegang naar het park over de Federation Way, met een nieuwe poort boven de Federation Place bij een drukke kruising met de ANZAC Parade.

Een opvallend gebouw in het park is het Federation Pavilion in de Federation Valley. Het originele paviljoen voor de eenwording van Australië uit 1901 was in 1903 al rijp voor de sloop en sindsdien werd de Federation Stone in de openlucht bewaard binnen een ijzeren hek. In 1988 kwam er een nieuw paviljoen met een koepelvormig dak. De steen stond weer droog. Op het gebouw zijn twee regels van de Australische dichter Bernard O'Dowd, fervent tegenstander van de eenwording, afgebeeld. Hij schreef die regels in de aanloop naar de geboorte van de staat Australië:

*A new demesne for Mammon to infest?*
*Or lurks Millennial Eden 'neath your face?*

Vrij vertaald:

*Een nieuwe kans voor de geldgod Mammon?*
*of daagt een duizendjarig Eden aan de horizon?*

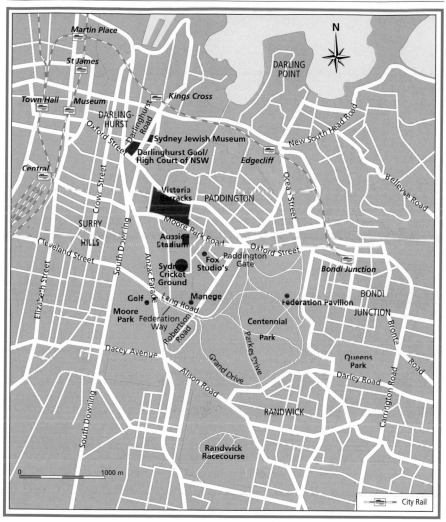

*Centennial Park en omgeving*

de streek was de belangrijkste bron van de drinkwatervoorziening tot ongeveer 1850. Toch raakte het gebied langzaam maar zeker vervuild en werd er besloten daar iets aan te doen. De toenmalige gouverneur kreeg het idee het gebied in een park te veranderen ter meerdere eer en glorie van de Britse kolonisatie. In die tijd woonde twee derde deel van de bevolking van Sydney op hooguit 10 km van het park. Op 26 januari 1888 werd met de aanleg begonnen.

De directeur van de Botanische Tuinen, Charles Moore, kreeg de opdracht er iets moois van te maken. Honderden werklozen moesten van het moerasgebied een park maken, waarop de Europeanen jaloers zouden zijn. Er kwamen tuinen, standbeelden, vijvers en grote lanen. Het park kreeg verder imposante toegangspoorten die werden genoemd naar de wijk of straat waarop ze uitkwamen. Verder werd het hele park omzoomd door een gietijzeren hek.

*Relaxen in Centennial Park*

De marathon doet het park elk jaar aan. Merkwaardig is dat auto's toegang hebben, veel automobilisten nemen de Grand Drive als een kortere route door de stad. Maar dit is Sydney en daar heeft de auto, meer dan waar ook ter wereld, een ongenaakbare positie. De laatste zondag van elk seizoen is het park autovrij.

In het park is het natuurlijk goed picknicken. Er zijn zeven gratis elektrische barbecues, waarvan iedereen gebruik kan maken. Zelf een BBQ organiseren in het park is een erg Australische ervaring. Maar wie niet zelf eten wil meenemen, kan terecht bij het Centennial Parklands Restaurant bij de kruising van de Parkes Drive en de Grand Drive met een zelfbedieningsterras voor koffie en een restaurant. Midden in het park aan de Parkes Drive is een kiosk voor versnaperingen.

## Het park nu

Jaarlijks trekken naar schatting 3 miljoen mensen naar het park. Het is een eldorado voor paardrijders, joggers, wandelaars, rollerskaters en fietsers die rustig en veilig hun sport kunnen beoefenen. Als een grote cirkel loopt de Grand Drive van 3,8 km door het park. Het verkeer gaat in één richting en er is een strook voor auto's, fietsers, wandelaars, ruiters en joggers. Iedereen komt er aan zijn trekken. De maximumsnelheid is 30 km/uur en deze bepaling geldt ook voor fietsers en paarden.

In het park is in de zomer een *moonlight cinema* en er zit een fietsverhuurder aan de Grand Drive. Beroemde artiesten zoals INXS, Crowded House traden in dit park op.

Het park is voor wandelaars en fietsers 24 uur per dag open, de poorten voor de auto's gaan bij zonsondergang dicht en bij zonsopgang weer open. Het is niet toegestaan 's nachts auto's in het park te laten staan. Automobilisten die te laat weggaan, moeten een vertrektoeslag betalen. Een wandeling of fietstocht door het park in de nacht is af te raden. Het is er dan aardedonker.

Paardenliefhebbers kunnen zelfs vanaf een paard het park verkennen. Net buiten het park bij Robertson Gate zit een grote manege, waar paardrijles kan worden genomen of met een gids het park kan worden verkend. Iemand die goed kan paardrijden (te beoordelen door de verhuurder) kan een paard huren en zelf op pad gaan in het park. Rustig stappen, in galop mag niet. Reken op 50 tot 90 Au$ per uur, inclusief uitrusting. Maar ook een wandeling door de manege is leuk.

ℹ️ PAARDEN. Eastside Horse Riding Academy, Equestrian Centre, Lang Road, Paddington, tel. 9360 7521 (reserveren verplicht), www.eastsideriding.com.au.

## Flora en fauna

Het opvallendst in het park zijn de vogels. Tegen de avond kunnen de kaketoes een geweldig kabaal maken. Meestal zijn het witte exemplaren die in de bomen zitten, maar wie goed kijkt, kan ook de zwarte kaketoe met een gele staart (geelooggraafkaketoe) zien zitten. Deze dieren gaan in de herfst in grote zwermen boven Sydney vliegen op zoek naar voedsel. In het park achter het restaurant is een stuk waar het publiek geen toegang heeft. Daar zit de New Holland Honeyeater – New Holland is een oude naam voor Australië.

Rond de natte plekken in het park, zoals Lachlan Swamp en Kensington Ponds, zijn vogels te zien als doornastrild (een vinkensoort), welkomzwaluw, Australische rupsvogel en natuurlijk Australische ekster. Ook de nationale vogel van Australië, de kookaburra, zit in het park en is te herkennen aan zijn karakteristieke lach.

In het park scharrelen verder watervogels rond, zoals de wenkbrauweend, de algemeen voorkomende eend in het park. Ook veelvoorkomend is de zwarte zwaan, de zwarte aalscholver en de bonte aalscholver. Let ook op de purperkoet met zijn blauwe borst. Zeldzamer is de Australische lobeend. En wie geluk heeft, ziet de Australische pelikaan.

Niet te missen is de Australische witte ibis, met zijn lange, kromme snavel, maar dat beest zit in heel Australië. De reputatie van deze mooie vogel is niet veel beter dan van een stadsduif. De ibis scharrelt graag bij de vuilnisbak zijn eten bij elkaar. Met zijn snavel maakt hij er bij de vuilnisbak vaak een zooitje van, wat zijn populariteit geen goed doet.

Uiteraard zitten er ook zoogdieren en reptielen in het park, maar die vallen minder op. Er zitten wat kleine buideldieren (opossum) en de *blue tongue lizard*. Opvallend zijn de fruitvleermuizen, die massaal in het Centennial Park komen overnachten. Bij Robertson Gate, de westelijke uitgang, kun je de dieren bij het avondschemer zien binnenvliegen.

ℹ️ CENTENNIAL PARKLANDS, Locked Bag 15 Paddington, tel. 9339 6699, www.cp.nsw.gov.au.

## Moore Park

Rond het Centennial Park ligt een aantal kleinere parken dat de moeite waard is. Het Moore Park, vernoemd naar de directeur van de botanische tuin, maakt onderdeel uit van de Centennial Parklands, maar heeft een heel ander karakter dan het Centennial Park. Dit groen wordt doorsneden door een drukke uitvalsweg naar de stranden in het zuidwesten van de stad, de ANZAC Parade. De open vlaktes nodigen nog meer uit tot sport dan het meer beschutte Centennial Park. In het Moore Park zijn ook een atletiekbaan en een grote golfbaan, tennisbanen en speelweiden. Op de golfbaan zijn gasten welkom om een rondje op de baan van achttien holes te maken. Vanaf sommige banen is er een mooi uitzicht op de skyline van de stad. Veel dichter bij het centrum kun je niet golfen. Voor een paar tientjes mag je negen holes slaan, de prijs hangt af van de dag en het tijdstip.

ℹ️ MOORE PARK GOLF COURSE, hoek Cleveland Street en ANZAC Parade, tel. 9663 1064, www.mooreparkgolf.com.au.

## Queens Park

Aan de oostkant van Centennial Park ligt Queens Park. Dit kleine park van 26 ha

heeft een natuurlijk amfitheater dat is gevormd in het zandsteen, het belangrijkste
gesteente in de ondergrond van Sydney.
De daar gevormde kliffen bieden vanaf de
Carrington Road een mooi uitzicht over de
stad. In dit park zijn sportvelden voor
voetbal, cricket en rugby.

### Randwick Racecourse

Aan de zuidkant van het park is een grote
paardenrenbaan: de Randwick Racecourse.
Het is de baan voor paardenraces in Sydney, met als hoogtepunt de jaarlijkse wedstrijd om de Sydney Cup. Op paaszaterdag
racen hier de paarden over 3200 m naar de
finish; de race is de op een na belangrijkste
paardenwedstrijd in Australië (na de Melbourne Cup). Verder zijn er elke week wel
wedstrijden. Het park heeft een geschiedenis met paarden die teruggaat tot 1833. De
baan heeft een lengte van iets meer dan
2200 m en ligt in een verder groen gebied
van nog eens circa 80 ha.

ℹ️ RANDWICK RACECOURSE, Alison Road, Randwick,
tel. 9663 8400, www.ajc.org.au.

*Cricket in het grootste stadspark van Sydney*

### Fox Studio's/The Entertainment Quarter

Even buiten het Centennial Park liggen
twee grote stadions van Sydney: de **Sydney
Cricket Ground** waar alle belangrijke cric-
ketwedstrijden worden gehouden. En dat
zijn er heel wat in het cricketgekke Australië. Daarnaast ligt het **Aussie Stadium**,
thuishaven van de populaire Australian
Rules Football-club Sydney Swans.
Andere belangrijke trekpleister in de
buurt zijn de Fox Studio's. De studio's zijn
al lang niet meer het exclusieve domein
van filmsterren, stuntmannen en regis-
seurs (▢ p. 109). Het studioterrein is verbouwd tot een luxueus (film)pretpark en
heet nu officieel The Entertainment Quarter. Natuurlijk zijn er bioscopen. In Cinema Paris kun je met een glas wijn en een
stukje kaas naar de nieuwste films kijken.
Maar in het park worden ook popconcer-

ten gehouden, je kunt er volop eten, shoppen in (te) dure winkels en kinderen kunnen hun hart ophalen in speeltuinen. Elke
woensdag en zaterdag is er in het Entertainment Quarter een boerenmarkt met
allerlei verse producten. In het weekend
kun je daarnaast terecht op een markt,
waar juwelen, kunst, cadeauartikelen,
planten en kleren te koop zijn.
Het geheel is allemaal wat gekunsteld en
zeker niet charmant of rustiek. Maar voor
een verloren of regenachtige middag zijn
er slechtere opties te bedenken.

ℹ️ FOX STUDIO'S/THE ENTERTAINMENT QUARTER,
Lang Road, tel. 8117 6700, www.entertainment-
quarter.com.au. Geopend: ma.–vr. 9–16.30, za. en
zo. 9–16 uur. Markten: wo., za. en zo. 10–16 uur.

### WONEN BIJ HET GROEN

Bij al dit fraaie groen wonen ook nog mensen. Behalve charmante buurten met even
charmante straten, huizen, cafés en restaurants zijn er ook de nodige bezienswaardigheden. Veel toeristen laten dit allemaal
links liggen. Ten onrechte. Wie Sydney
echt wilt leren kennen, neemt uitgebreid

## HOLLYWOOD IN SYDNEY

Uiteraard is Hollywood het mekka van de filmindustrie, maar vlak Sydney niet uit. Veel bekende films zijn hier opgenomen en Australische films doen het verrassend goed bij een internationaal publiek. Filmmakers die een Engelse sfeer willen oproepen in hun rolprent, wijken graag uit naar Sydney vanwege het weer. Sommige wijken in de stad zijn dermate Engels, dat een kijker niet door heeft dat de Britse film niet in Groot-Brittannië is gedraaid.

Het grote voordeel is dat het weer beter is dan in Engeland met zijn vaak grijze luchten en regen die maar blijft vallen. Om regen zitten filmmakers niet verlegen, desnoods maak je die zelf. Maar zonneschijn is een stuk lastiger en dat is met 300 dagen zon in Sydney dus geen probleem.

Bekende films die in Australië zijn opgenomen zijn:
* *Mission Impossible II*, met opnames van de Harbour Bridge en het Opera House.
* *The Matrix*, een sciencefictionachtige film met de bekende mannen in het zwart.
* *Priscilla, Queen of the Dessert*, de bus vertrekt van het Imperial Hotel over de Harbour Bridge naar de Outback.
* *Babe II*, de film over de pratende big die in de grote stad komt.
* *Muriel's Wedding*, het meeslepende verhaal van de Australische Abba-fan die uiteindelijk de man van haar dromen vindt. De kerk die in de film als trouwplaats is gebruikt, staat in de wijk Darling Point.
* *Finding Nemo*, deze film is geheel geanimeerd waarbij de haven van Sydney als inspiratiebron heeft gediend.

Sydney heeft een enorm filmcomplex aan de rand van het centrum: de Fox Studio's. Hier zijn talrijke bekende films gemaakt, zoals *Star Wars* (episode II en III), *The Titanic* en *Moulin Rouge*.

Uiteraard is er een firma die zo slim is om een *Movie Tour* te organiseren door Sydney. Leuk voor filmliefhebbers, goedkoop is het niet. Een halve dag met de minibus door Sydney kost 90 Au$, een hele dag 138 Au$. Maar dan word je acht uur beziggehouden en krijg je een eenvoudige lunch. Om 9 en 11 uur zijn er wandelingen van 90 minuten voor 45 Au$.

ⓘ MOVIE TOUR. Movie Tours, Kingsgate Centre, Kings Cross, tel. 9357 4566, www.sydneymovietours.com.au.

de tijd om rond te wandelen. Te beginnen in Darlinghurst, de meest geliefde wijk in dit gedeelte van de stad. De upmarketwijk, vernoemd naar Ralph Darling die tussen 1825 en 1831 gouverneur van New South Wales was, is het kloppende hart van gay Sydney.

### Darlinghurst Gaol

Vroeger was Darlinghurst allerminst chic. De wijk was bekend om zijn beruchte gevangenis: de Darlinghurst Gaol. Het gezag in Sydney besloot in 1820 dat het tijd was om een nieuwe gevangenis neer te zetten. Architect Francis Greenway kreeg de opdracht om op Woolloomooloo Hill in Darlinghurst een gevangenis te bouwen die elke inwoner van Sydney eraan moest herinneren dat dit een stad van veroordeelden was.

Tussen 1822 en 1824 gingen gevangenen hard aan de slag om de muur van hun nieuwe cellencomplex te bouwen. Ze hakten de stenen zelf uit en bewerkten ze met vijlen. In de stenen zijn nog altijd tekens van gevangenen te zien. Het waren tekens om aan te geven hoeveel ze waren opgeschoten met hun werk.

Intussen werd architect Greenway van zijn taak ontheven. De autoriteiten vonden het toch niet zo slim om hem, zelf een veroordeelde, een gevangenis te laten bou-

*Barbecue in Centennial Park*

wen. In plaats daarvan werd een tekening gebruikt van een bestaande gevangenis in het Amerikaanse Philadelphia. Het complex moest een centraal gedeelte krijgen met daaromheen, als spaken in een wiel, vleugels met honderden cellen. Een muur van 7 m hoog moest voorkomen dat de gevangenen zouden ontsnappen.

## Rot fruit

In 1836 begonnen de echte bouwwerkzaamheden. Vijf jaar later was het eerste gedeelte klaar: de residentie van de gouverneur en een vrouwen- en mannencomplex. Bij de opening in juni 1841 marcheerden 169 geboeide gevangenen door de straten van hun oude cellen op Circular Quay naar de nieuwe Gaol in Darlinghurst. Vijftig bewakers liepen mee. De bewoners van Sydney jouwden onderweg de gevangenen uit en bekogelden hen met rot fruit.

Het ronde gebouw in het midden van het complex had een goed zicht op alle cellenvleugels. In de oorspronkelijke plannen

was dit het onderkomen van de bewakers. Maar de Australiërs vonden dat uiteindelijk te Amerikaans. Ze besloten het ronde gebouw te gebruiken als kapel.

Voordat een dienst begon, werden de gevangenen in de onderste verdieping gewassen. Mannen en vrouwen zaten in de kapel op verschillende verdiepingen; de aandacht zou anders te veel afgeleid worden. Het gevolg was dat de mannen en vrouwen elkaar driftig (liefdes)briefjes toeschoven. Briefjes, die veel later bij de renovatie van de kapel werden teruggevonden.

## Galg

De gevangenis was ook de plek waar in de loop der jaren 76 veroordeelden werden opgehangen; soms in het openbaar, soms in privéterechtstellingen. Onder hen beroemde Australische struikrovers als 'Captain Moonlight' en Jimmy Governor. Ook de laatste vrouw die in New South Wales werd opgehangen, Louisa Collins, bungelde hier in 1889 aan de galg. Ze had twee echtgenoten en een kind met gif om het leven gebracht.

De Gaol in Darlinghurst was gebouwd voor 420 gevangenen en bewaarders. Al snel puilde het complex uit. De vrouwencellen telden rond 1850 meer dan 450 vrouwen, terwijl er eigenlijk maar plaats was voor 156. Er waren voortdurend problemen met de afvoer van de wc's. De autoriteiten weigerden uit angst voor ontsnappingen om een goed rioleringsstelsel aan te leggen. Het gevolg laat zich niet moeilijk raden. Door de hoge muren was het benauwd en muf in het complex; ziektes braken uit.

De kritiek op de slechte gezondheidstoestand stapelde zich op. De autoriteiten besloten daarom een nieuwe en betere gevangenis te bouwen in Long Bay. In 1912 verlieten alle gevangenen de Old Gaol in Darlinghurst.

*De voormalige gevangenis van Sydney, de Old Darlinghurst Gaol, herbergt nu de National Art School.*

## Spoken

Daarmee waren de schrikverhalen over de gevangenis overigens nog niet verleden tijd. Toen de Gaol in 1921 werd verbouwd tot een school, klaagden werknemers over 'spookachtige' gebeurtenissen. In een van de klaslokalen, de ruimte waar vroeger de gevangenen zaten die tot de strop waren veroordeeld, ging het licht onverklaarbaar aan en uit en sloegen deuren vanzelf dicht. 'Het stonk er ook,' vertelde een anonieme bewaker over het griezelige klaslokaal. 'De stank was zo erg, dat je nauwelijks binnen kon blijven. We maakten alles schoon en repareerden de lichten en deuren, maar de problemen bleven bestaan.'

Zulke verhalen doen het altijd goed bij het publiek, dus de Old Gaol van Darlinghurst wordt niet snel vergeten. Het gebouw is sinds 1922 het onderkomen van de National Art School. De vroegere cellencomplexen zijn verbouwd tot ruimtes waar studenten zich uitleven in beeldhouwkunst, keramiek, schilderen en andere kunstzinnige activiteiten.

Het is de moeite waard het terrein van de Art School op te lopen en te kijken hoe de Old Gaol eruit heeft gezien. Bij de receptie is een plattegrond met een beschrijving te

halen. Helaas kunnen bezoekers de gebouwen niet binnen (de studenten mogen niet
worden gestoord), maar buiten is genoeg
te zien. Bijvoorbeeld de merktekens van
gevangenen op de muren, de wachttoren
bij de ingang en het mortuarium, waar de
gevangenen na hun ophanging heen werden gebracht.
De vroegere gevangenis is anno nu een
klein, groen lustoord te midden van een
jachtige stad. In deze omgeving van rust
en creativiteit klaagt niemand meer over
spoken en vreemde verschijnselen.

ⓘ OLD GAOL/NATIONAL ART SCHOOL, hoek Burton
Street en Forbes Street, tel. 9339 8745, www.po-
licensw.com en www.nas.edu.au. Geopend:
ma.–vr. 9–17 uur.

## Hooggerechtshof

Een paar honderd meter van de oude gevangenis staat het gebouw van het Hooggerechtshof van New South Wales. De gevangenen in de Gaol werden vroeger met
een ondergrondse gang naar deze recht-
bank gebracht. Architect Mortimer Lewis
liet zich in 1835 leiden door de Griekse
oudheid en strooide kwistig rond met Do-
rische zuilen en andere Griekse versierse-
len. Zo'n vijftig jaar later werden de zij-
vleugels aan het centrale gedeelte gebouwd. Het eindresultaat doet een beetje
potsierlijk aan, maar indruk maakt het gebouw in elk geval (en dat was natuurlijk
de bedoeling). Het Hooggerechtshof is tijdens zittingen open voor het publiek.
Het Grieks aandoende gebouw aan Taylor
Square en Oxford Street vormt een opvallend contrast met het moderne leven buiten op straat. Het staat namelijk in het bekendste homogebied van Sydney (📖 pp.
116-119). **Oxford Street** is in 2006 gerenoveerd: het trottoir is onder meer breder geworden, zodat er nog beter gewinkeld, ge-
flaneerd en geflirt kan worden. Overdag
kun je hier terecht voor de leukste aanko-
pen. 's Avonds kun je eindeloos uitgaan,

*Extravaganza in Oxford Street*

eten en drinken. De straat is een continue
parade van kijken-en-bekeken-worden.
Op en rond het Taylor Square kunnen bezoekers letterlijk een blik werpen op de
geschiedenis van deze buurt. In witte, ver-
lichte kokers (nee, dit zijn geen schijnwer-
pers) kun je wat zien en lezen over markante figuren die hier hebben geleefd en
gewoond.
De ondernemers op Oxford Street maken
zich ongerust: de idioot drukke straat met
zijn vier rijbanen is niet alleen geliefd bij
homo's en aanverwanten. Ook alcoholisten, zwervers, verslaafden en bedelaars
weten Oxford Street te vinden. Het gebeurt daarom regelmatig dat bezoekers op
een terrasje worden lastiggevallen. De
winkeliers verzinnen allerlei acties om
hun Oxford Street relaxed te houden. Zo

was er het plan om amokmakers een pamflet in de hand te duwen, met daarin de oproep om op te hoepelen. Welzijnswerkers vroegen zich af of deze aanpak niet een beetje naïef was.

Darlinghurst is meer dan Oxford Street alleen. Het is de moeite waard om door de zijstraatjes te slenteren en de huizen te bekijken (□ p. 62). In Stanley Street is een blok Italiaanse cafés en restaurants, waar het aangenaam vertoeven is.

## Sydney Jewish Museum

Bijzonder is verder het Sydney Jewish Museum. Het museum is gevestigd in de Maccabean Hall, die in 1923 werd geopend om de gesneuvelde joodse soldaten in de Eerste Wereldoorlog te herdenken. Sinds 1992 is het gebouw de plek van het joods museum. Op de begane grond is een tentoonstelling te zien over de joden in Australië. Met de Eerste Vlootgevangenen kwamen ook zeventien joden mee. In de nasleep van de Tweede Wereldoorlog kwamen 30.000 joodse overlevenden van de Holocaust naar Australië, voornamelijk naar Sydney en Melbourne.

Op de bovenste verdieping wordt de Holocaust behandeld: de opkomst van Hitler, de getto's, de transporten naar de concentratiekampen, de verschrikkingen van de kampen zelf, de bevrijding en de vestiging van de staat Israël.

Naast wisselende tentoonstellingen zijn er in het museum ook diverse monumenten te zien. Voor de omgekomen kinderen bijvoorbeeld. Een elektronisch monument laat de gezichten en namen zien van joden die in de kampen zijn gestorven.

In het museum werken gidsen die de Holocaust hebben overleefd. Dat maakt een bezoek extra indrukwekkend. Een scholiere schreef na afloop in het gastenboek: 'Niemand mag mij ooit nog vertellen hoe moeilijk mijn leven is, omdat mijn ouders zijn gescheiden toen ik jong was.'

**ⓘ** SYDNEY JEWISH MUSEUM, 148 Darlinghurst Road, tel. 9360 7999, www.sydneyjewishmuseum.com.au. Geopend: zo.–do. 10–16, vr. 10–14 uur; entree 10 Au$.

## Surry Hills

Surry Hills staat bekend om zijn charmante woningen. Die zijn bijna allemaal gebouwd rond 1850. Surry Hills lag toen aan de rand van de stad. Er was ruimte genoeg, dus veel bewoners wilden hier een mooi herenhuis neerzetten. De buurt was ook geliefd bij de Chinezen. De populariteit van de wijk betekende bijna de ondergang. Het werd zo overvol in Surry Hills, dat de verpaupering toesloeg. De huizen werden krakkemikkig, de straten waren smerig, hoerenkasten en straatbendes maakten de wijk onguur en onveilig.

De gemeente besloot tussen 1906 en 1929 de wijk aan te pakken: verpauperde huizen gingen tegen de grond, wegen werden verbreed. Na de Tweede Wereldoorlog was Surry Hills een geliefde woonplek voor geëmigreerde Europeanen. Vooral Italianen en Grieken streken neer in deze goedkope woonwijk. In de laatste decennia heeft de wijk zich razendsnel in opwaartse richting ontwikkeld. Kunstgaleries, antiekzaakjes, modewinkels, populaire cafés en restaurants, veel bomen en groen; in niets lijkt Surry Hills meer op de vervallen wijk van vroeger. De wijk is nu *the place to be* voor veel Sydneysiders en de prijzen van de huizen zijn er dan ook naar.

Crown Street is de belangrijkste winkelstraat van Surry Hills. Elke eerste zaterdag van de maand is op de hoek van Crown Street en Collins Street een bekende rommelmarkt (**Surry Hills Markets** op de Shannon Reserve). Sinds 1981 worden op deze markt tweedehands kleren en spullen verkocht, maar je vindt er ook allerlei kunstvoorwerpen. De markt geeft een goed beeld van de kleurrijke wijk die Surry Hills tegenwoordig is.

## Paddington

Ook Paddington dreigde ooit aan verpaupering ten onder te gaan, maar behoort anno nu tot een van de meest geliefde (en hippe) wijken van Sydney. In het begin van de kolonie was deze plek volgens de geschiedschrijving een 'grote woestenij met kale zandheuvels met her en der hakhout, hobbels en kuilen'. De wijk kwam tot leven na de bouw van de **Victoria Barracks**. Tussen 1841 en 1846 werd deze legerplaats gebouwd door gevangenen en soldaten. Tot 1870 waren hier Britse troepen gelegerd, daarna nam het koloniale leger van New South Wales zijn intrek.

De barakken zijn goed bewaard gebleven en doen nog steeds dienst als legerplaats. Hier is het hoofdkantoor van de landmacht en de trainingsstaf. Vanaf Oxford Street is de ruim 250 m lange muur opvallend. Daarachter is een groot exercitieterrein, waar elke donderdagochtend om 10 uur een militaire ceremonie plaatsvindt. De vlag wordt dan gehesen en een muziekkorps treedt op. De toegang is gratis. Er is op donderdag en op zondag om tien uur de mogelijkheid een gratis rondleiding door het complex te krijgen.

In de voormalige legergevangenis in het complex is een klein museum gevestigd dat iets vertelt over het verleden van het legerkorps.

ⓘ VICTORIA BARRACKS, Oxford Street, Paddington,

*Paddington*

tel. 9339 3000. Geopend: do. 10–12.30, zo. 10–15 uur; toegang museum 2 Au$.

Dankzij de aanwezigheid van de legerplaats en zijn soldaten kwam Paddington tot leven. Rijtjeshuizen schoten uit de grond, vaak krap bemeten. Tijdens de crisisjaren leek het er even op dat de buurt gesloopt zou worden, maar de komst van naoorlogse immigranten redde de wijk. Zij knapten de huizen op en Paddington begon te groeien en te bloeien.

Het is nu een feestje om door de wijk te lopen. De mooie platanen op Paddington Street, de grappige huisjes met hun punt-

*Cruisen in een cabriolet in Surry Hills*

daken en frivole gevellijsten op Broughton Street en Union Street, de terrasjes bij Five Ways, de rotonde op Glenmore Road waar vijf wegen samenkomen, de talrijke cafés en restaurants. De wijk ademt een uiterst relaxte en soms Europese sfeer uit. Langs de huizen heb je hier en daar een mooi uitzicht op het water.

Liefhebbers van moderne kunst mogen de **Sherman Galleries** in Paddington niet overslaan. Dit museum van hedendaagse Australische kunst bestaat sinds 1981 en is gevestigd in een groot, modern gebouw. De galerie heeft buiten een grote ruimte waar beelden te zien zijn.

ℹ SHERMAN GALLERIES, 16-20 Goodhope Street, Paddington, tel. 9331 1112, www.shermangalleries.com.au. Geopend. di.–vr. 10–16, za. 11  16 uur.

# GAY SYDNEY

Als Amsterdam de 'Gay Capital' van Europa is, dan is Sydney zonder enige aarzeling de 'Gay Capital' van het zuidelijk halfrond. In het verder weinig geëmancipeerde en soms homofobe Australië, is Sydney voor homo's een droom. Hoewel. Geef de Australische gays niet de kost die de Sydneysiders een kleine nachtmerrie vinden. Het zou schorten aan hun 'attitude': arrogant, met zichzelf ingenomen, weinig sociaal. Daar zit zeker een kern van waarheid in. Weinigen zullen ontkennen dat de gaycultuur in Sydney nogal hedonistisch en dus oppervlakkig overkomt. Maar ja, dat wordt ook gezegd van de homoscene in Amsterdam en daar is het toch vaak gezellig. Dus wie de weg weet in Sydney, kan zich prima vermaken en ontmoet leuke mensen.

Gay Sydney staat wereldwijd bekend om zijn jaarlijkse *Gay and Lesbian Mardi Gras* (www.mardigras.org.au ).

*Elk eerste weekend van maart kent Sydney de Mardi Gras Parade, de uitbundig uitgedoste optocht van homo's en lesbo's. De optocht is het drukst bezochte evenement in Sydney.*

Naar schatting een half miljoen inwoners van Sydney, hetero en homo, komen op de eerste zaterdag van maart kijken naar een urenlange stoet van uitbundig uitgedoste praalwagens en even uitbundig aangeklede en dansende homo's en lesbo's. Direct na de parade op Oxford Street, Taylor Square en Flinders Street kunnen de *party-animals* hun hart ophalen op de Mardi Gras Party, een massaal dansfeest in de Fox Filmstudio's.

Mardi Gras is meer dan een optocht en dansen. Een maand lang worden er culturele activiteiten georganiseerd, van lezingen tot en met tentoonstellingen en van muziek tot en met dans. De organisatie rond Mardi Gras dreigde in 2003 failliet te gaan, maar dankzij de hulp van nieuwe sponsors kon het fes-

*Het publiek reageert enthousiast op de kleurig uitgedoste mensen in de Mardi Gras Parade.*

tijn onder een nieuwe naam (*The New Mardi Gras*) een doorstart maken.

### Shoppen, koffiedrinken en uitgaan

Oxford Street in de wijk Paddington is dé straat van zien en gezien worden. Cafés, restaurants, disco's, kledingwinkeltjes; iedereen die trendy en hip wil zijn, koopt op Oxford Street. Hier moet je zijn voor je nieuwste Versace-hempjes en andere flashy uitgaanskleren. Hier drink je ook buiten op het terras je café latte om goede gesprekken te voeren en quasinonchalant langslopende mensen te observeren.

Het is ondoenlijk om de leukste plekken te noemen; het café dat het ene jaar helemaal in is, is het andere jaar alweer over de kop. Maar door de jaren heen zijn *Stonewall Hotel* (175 Oxford Steet, Darlinghurst, tel. 9360 1963), het *Colombian Hotel* (117-123 Oxford Street, tel. 9360 2151), de *Midnight Shift* (85 Oxford Street, tel. 9360 4463) en de *Arq* (16 Flinders Street, tel. 9380 8700) vaste plekken geworden waar gay en trendy Sydney elkaar ontmoeten.

De liefhebbers van leer en minder gepolijste mannen drinken een biertje in de *Ma-*nacle* (Patterson Lane, achter Taylor Square Hotel, tel. 9331 2950) en dansen in *The Phoenix* (34 Oxford Street).

De lesbo's vinden elkaar in de *Deckbar* (191 Oxford Street) en op evenementen als *Fingers First* en *Girlesque* die op wisselende locaties worden gehouden.

Voor de nieuwste adressen, feesten, clubs en andere info is het handig om elke week een blik te werpen in de gratis homokranten *SX* (www.sxnews.com.au) en *Sydney Star Observer* (www.ssonet.com.au).

Wie moe wordt van Oxford Street, vindt een goed alternatief in Newtown, een gayvriendelijke wijk even buiten het centrum. King Street is de dynamische levensader van Newtown. De voortrazende auto's zijn een plaag, maar de tientallen koffieshops, hippe winkels en restaurants geven King Street 24 uur lang een New York-achtige buzz. En overal duikt de regenboogvlag op. Het *Newtown Hotel* (174 King Street, tel. 9557 1329) is een favoriete kroeg voor veel gays.

### Priscilla

Een absolute aanrader in Newtown is het

*Half ontblote mannen trekken als cowboys door de straten van Sydney tijdens de Mardi Gras Parade.*

nes uit Priscilla na en playbacken ze liedjes uit de film. Zeer vermakelijk, zelfs voor degenen die een beetje moe worden van al die mannen die in vrouwenkleren hun ding doen.

Travestieshows zijn er in het Imperial Hotel ook op donderdag-, vrijdag- en zondagavond. Wie echt niet van dit soort vermaak houdt, kan in het weekend beneden in de kelder dansen op niet te moeilijke muziek, of in de bar pool spelen en kijken naar muziekvideo's van Kylie Minogue en andere sterren van het lichte amusement.

De fans van Mitzi Macintosh kunnen verder elke dinsdagavond in het Imperial Hotel terecht voor een hilarische homoversie van het truttige bingo (20 uur): *Bingay!*

### Zonnen en zwemmen

Sydney heeft met zijn talloze stranden en zwembaden veel te kiezen. Waar gaan de gaystrandliefhebbers en -zwemmers heen?

vlakbij gelegen *Imperial Hotel* (35 Erskineville Road, tel. 9519 9899). Hier werden opnamen gemaakt voor de vermaarde (homo)film *Priscilla, Queen of the Dessert*; het verhaal van drie travestieten die in een bus op tournee gaan door het ruige binnenland van Australië. Het begin van de film is in de bar van het Imperial Hotel opgenomen. De bus vertrekt in de straat voor het hotel.

In het Imperial Hotel wordt al jarenlang elke week (zaterdagavond elk heel uur van 22 tot en met 2 uur) een Priscilla-show opgevoerd door huistravestiet Mitzi Macintosh en twee collega-travo's. Met een gelikte show in oogverblindende kostuums spelen zij met een ironische kwinkslag scè-

Op het strand van Bondi Beach staat een stuk zand aan de linkerkant van de boulevard (ga met je neus naar het water staan) bekend als 'homogedeelte'. Op dit stuk strand vind je inderdaad relatief veel gebruinde homo's met strakke spieren en dito buiken. Maar feit blijft dat je omringd wordt door heterostelletjes en (dreinende) kinderen. Naakt zwemmen is absoluut taboe. De meeste homo's hier vinden dat trouwens niet zo'n bezwaar; hoe kun je anders je pas aangeschafte Versace-zwembroek showen?

Het enige officiële naaktstrand van Sydney is Lady Bay (ook wel Lady Jane genoemd) bij Watsons Bay. Dit strand is niet exclusief gay, maar het percentage homo's is vaak over-

*Oxford Street is voor homo's de plek om te zien en gezien te worden.*

heersend. Het strand is erg klein en de schaduw is erg schaars. Maar het water en de golven zijn paradijselijk en de liefhebbers van
klauteren kunnen zich uitleven op de rotsen.

Obelisk Beach in Sydney-Noord staat bekend als het homostrand van Sydney. Het is
nogal moeilijk te bereiken en het strand is
bepaald geen pareltje. Maar het voordeel is
dat je 'onder elkaar' bent.

Een andere mogelijkheid is het *Little Congwong* strand van *La Perouse,* een verre buitenwijk van Sydney. Op dit tweede, achterste
strand is het officieel verboden om naakt te
zwemmen, maar streng wordt daar niet op
gelet. Nudisten zonnen onder het bordje 'Verboden naakt te zwemmen'. Heel wat homo's
komen hier voor een dagje strand en rotsen.
Keuze genoeg is er ook als je 'gewoon' baantjes wilt trekken in een zwembad. 'Homo-
vriendelijke' zwembaden zijn *Phillip Cook*
bij het Hyde Park in het centrum en *Andrew
Boy Charlton* in Woolloomooloo.

Wie van sauna's houdt, kan plezier hebben
in:

- *Bodyline* (10 Taylor Street, tel. 9360
  1006);
- *Ken's at Kensington* (83 ANZAC Parade, tel. 96621359);
- *Sydney City Steam* (357 Sussex Street,
  tel. 9267 6766).

## Gym

Ten slotte de sportscholen in Sydney, waar
heel wat gay Sydneysiders de nodige uurtjes
doorbrengen. Net zoals in New York is bij
een grote groep mannen een 'beefy' uiterlijk
het hoogste streven; niet voor niets doet
deze groep bij het dansen vrijwel onmiddel-
lijk het shirtje uit.

De populairste sportscholen zijn:

- *Newtown Gym* (level 1, 294 King
  Street, Newtown, tel. 9519 6969);
- *Broadway Gym* (level 1, 160 Parramat-
  ta Road, Broadway, tel. 9211 5068);
- *City Gym* (107-113 Crown Street, East
  Sydney, tel. 9360 6247);
- *Gold's Gym* (23 Pelican Street, Surry
  Hills, tel. 9264 4496).

# 7

# Inner West en verder

De wijken waar de gewone en wat minder rijke Sydneysiders leven, werken, wonen, uitgaan en plezier maken, staan zelden op het verlanglijstje van de toerist. Ten onrechte, want wie wat van de Australische manier van leven wil opsnuiven, mag de buurten ten westen van het centrum niet missen. Echte toeristische hoogtepunten zijn in dit deel van de stad niet of nauwelijks te vinden. Er zijn wel genoeg aantrekkelijke winkelstraten, waar de grote winkelketens geen schijn van kans maken. Veel terrasjes, eethuisjes, kleurrijke mensen, verschillende culturen, heel veel talen en zo nu en dan wat zwervers en junks. Welkom dus in de minder gepolijste wereld van de metropool Sydney.

De buurten ten westen van het centrum (Inner West) zijn gebouwd vanaf 1850. Eerst kwamen er grote landgoederen van vooraanstaande kolonisten. De namen van de boerderijen hebben de wijken veelal hun latere naam gegeven. Er kwamen kerken, gemeentehuizen en straten met huizen. In de jaren dertig was de Inner West volgebouwd, en sindsdien is er eigenlijk niet eens zo veel veranderd. Zo hier en daar is wat gesloopt, een snelweg aangelegd, een nieuw appartementencomplex gebouwd, maar op veel plaatsen is de oorspronkelijke bebouwing nog te zien, vaak in art-decostijl.

De Inner West werd vooral de buurt voor de arbeiders. De huizen waren relatief klein en donker, de bewoners hadden weinig geld. Maar sinds de jaren zeventig zijn sommige buurten duidelijk aan het 'veryuppen'. Huizen waar vroeger grote gezinnen woonden, trekken nu goedverdienende tweeverdieners aan. Overal zijn verdiepingen opgebouwd, aan de achterkant zijn serres gekomen en de huizen zijn ruimer geworden. Op de open plaatsen in de wijk

▲ King Street in Newtown is de meest populaire eetstraat van Sydney.
◀ Alles wat hip en alternatief is, verzamelt zich in de wijk Newtown.

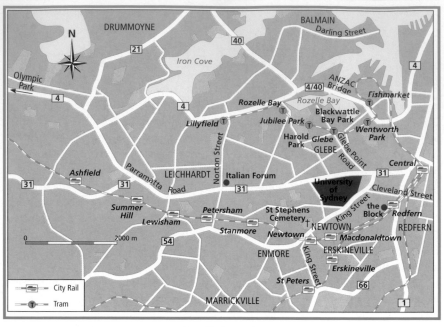

*Inner West en verder*

zijn nieuwe appartementen gekomen, die gretig aftrek vinden bij de altijd verhuislustige Sydneysiders. Het aantal makelaarskantoren in de wijken is ongehoord groot. Iedereen lijkt altijd op zoek te zijn naar iets beters. Verhuizen hoort in Sydney bij het leven.

De Inner West heeft ook stromen emigranten verwerkt. Tot de Tweede Wereldoorlog trokken voornamelijk Angelsaksische emigranten naar Inner West, maar dat veranderde. Nederlanders, Grieken en Italianen trokken in de jaren vijftig naar Australië. Voornamelijk de inwoners van de landen rond de Middellandse Zee drukten hun stempel op de volkswijken in het westen van de stad. Er kwamen restaurants en winkels om de inwoners te voorzien van lokale producten. Nederlanders deden er niet aan mee. Zij assimileerden en wilden niet als Hollander zichtbaar zijn voor de buitenwereld. Maar binnenshuis bleven ze vaak Hollandser dan Hollands. Het nadeel van de wijken met namen als

Erskineville, Newtown, Marrickville en Leichhardt is dat ze niet wandelend vanuit het centrum zijn te bereiken. De tocht er heen is lang en voert vaak door eindeloze industriegebieden en langs spoorwegcomplexen over meestal drukke wegen. Bus of trein bieden uitkomst.

## REDFERN

Redfern is weinig geliefd, de huizen zijn een beetje verpauperd. De naam heeft niets van doen met een rode varen, maar is afkomstig van de chirurg William Redfern, die hier honderd acres land kocht. Ook in het Australische slang heeft Redfern geen al te goede naam. *'Getting of at Redfern'* is het equivalent van 'voor het zingen de kerk uit'. De meeste reizigers op weg naar de stad willen helemaal niet in Redfern uitstappen, maar in het volgende station: Centraal Station.

De wijk Redfern ligt grofweg achter het Centraal Station, Central genoemd. Dat station opende in 1855 en is sindsdien

voortdurend uitgebreid. Bijna alle treinen van CityRail
stoppen hier, evenals de treinen van verder weg. Passagiers voor de trein naar de
stad Perth in West-Australië
bijvoorbeeld, een van de
langste treinreizen ter wereld, stappen hier op. De eerste trein vertrok overigens
op 26 september 1855 voor
een reis naar Parramatta.
Het complex is groot, maar
geeft niet de indruk een
groot centraal station van
een wereldstad te zijn. Daar
voor is het te rustig in de hal
en de perrons zijn meestal
nogal leeg. Aan de buitenkant valt de grote klokkentoren uit 1921 op.

## The Block

Het station Redfern ligt daar
vlak achter. De altijd aanwe-
zige politie en controleurs
van CityRail geven al aan dat
er iets aan de hand is. Aan de
noordwestkant van het station is de wijk waar veel Abo-

*Straatbeeld in Inner West, de eindeloze woonwijk ten westen van het
centrum*

rigines wonen, The Block geheten. Dit was
ook de plaats van de rellen in 2004. Op 14
februari 2004 vond de 17-jarige Aboriginal
jongen Thomas Hickey de dood toen hij
op de fiets tegen een hek reed, waarbij zijn
nek werd doorboord. Vlak daarvoor was
een politieauto langs de jongen gereden.
De bevolking richtte haar woede tegen de
politie die verantwoordelijk werd gehouden voor de dood van de tiener. Ze zou de
jongen hebben achtervolgd, waarna hij
verongelukte. Er vond een ware veldslag
plaats, een van de ergste uit de geschiedenis van de stad. Vijftig agenten werden ge-
wond, alsmede een onbekend aantal Aborigines. Het station van Redfern vatte

vlam, maar de schade viel mee. Later zou
de lijkschouwer verklaren dat de politie
geen schuld had aan de dood van de jongen, maar twijfels bleven bestaan over de
ware toedracht.

The Block is niet het leukste stukje Sydney
voor een wandeling, maar voor de rest valt
Redfern reuze mee. De wijk is een beetje
verpauperd, maar de swing zit er weer in.
Er wonen meer Aborigines dan elders in
de stad, maar dat geeft ook couleur locale
aan de buurt. Er zijn grootse plannen om
de omgeving van het station een opknap-
beurt te geven en de achterstandsbuurt op
te stuwen in de vaart der volkeren. Plannen die door de Aborigines bepaald niet

worden omarmd. Zij voelen zich bedreigd in hun woonomgeving en ze zijn bang dat hun heilige plekken door het grootkapitaal worden vermalen.

## GLEBE

Deze wijk is een van de grote woonwijken pal ten westen van het centrum. Glebe is al lang bewoond. Vrij snel na de aankomst van de Eerste Vloot kreeg de anglicaanse kerk in 1789 toestemming om een lap land te bebouwen. Glebe komt van het Latijnse *Glaeba,* wat zoiets betekent als 'een stuk land'. In 1826 verkocht de kerk de grond door aan succesvolle immigranten die er mooie huizen neerzetten. Op de website van de City of Sydney is een wandeling door de wijk te vinden (www.cityof-Sydney.nsw.gov.au).

Glebe is kosmopolitisch vanwege de nabijheid van de grote University of Sydney, die maakt dat er veel studenten wonen. Maar ook meer welgestelde Sydneysiders trekken graag naar de buurt vol met restaurants en cafés. Opvallend is het grote aanbod aan allerlei vormen van alternatieve gezondheidszorg; hier is een heus homeopathisch ziekenhuis.

Glebe ligt aan de grote Rozelle Bay en de Blackwattle Bay, een grote baai, die nu nauwelijks meer wordt gebruikt als haven. Aan het water, met een spectaculair uitzicht op de eind jaren negentig gebouwde ANZAC Bridge, zijn luxe appartementen gebouwd. Er loopt een wandelpad, zodat iedereen kan genieten van een ongehinderde blik op de brug.

## ANZAC Bridge

De ANZAC Bridge, in 1996 geopend, verving een oude elektrische draaibrug uit 1901. Die oude brug ligt er overigens nog steeds. Het is een belangrijke verbindingsroute van de westelijke wijken naar het centrum van Sydney. De brug, in de volksmond *Madonna's bra* (de bh van Madonna) ge-noemd, is met zijn lengte van 345 m een van de grootste spanbruggen ter wereld en zeker de grootste van Australië. De brug dankt zijn officiële naam aan het Australian New Zealand Army Corps (□ p. 58). Op de pijler aan de kant van het centrum wappert de Australische vlag, op de andere pijler de Nieuw-Zeelandse. Er is een fiets- en wandelpad over de brug, maar de brug is vooral leuk om naar te kijken.

## Harold Park

In het Harold Park ten westen van de wijk ligt een stadion voor drafwedstrijden met gespannen paarden. Dit is de eerste plek in Australië waar dergelijke wedstrijden werden gehouden. Elke dinsdagmiddag en vrijdagavond zijn er wedstrijden. Vooral de vrijdagavond is een geliefd avondje uit voor de Sydneysiders. En er zijn restaurants, bars en er kan worden gegokt.

ⓘ Harold Park, Rose Street, Glebe, tel. 9660 3688, www.haroldpark.com.au.

## Glebe Market

De grote attractie van de wijk is de wekelijkse Glebe Markt, die elke zaterdag wordt gehouden op de Glebe Point Road. De markt is een mengeling van de Amsterdamse Albert Cuypmarkt en de markt op het Waterlooplein. Alternatief voedsel, tweedehands kleren, goederen uit Zuidoost-Azië, kunst, er is van alles te koop. Volgens sommigen is dit de beste plaats in Sydney om op zaterdag boodschappen te doen.

Aan de Edward Street in Glebe staat ook een van de grootste boeddhistische tempels van de stad. De kerk is gebouwd door Chinese immigranten die in 1850 naar Australië trokken voor de eerste goldrush. De kerk is sindsdien ingrijpend verbouwd.

ⓘ GLEBE MARKET, Glebe Point Road, tel. 4237 7499.
　Geopend: za. 10–16 uur.

*De nieuwe ANZAC Bridge wordt ook wel 'Madonna's Bra', de bh van Madonna, genoemd.*

Boys don't cry,' zei een vroegere premier van New South Wales. Het is niet helemaal onbegrijpelijk dat in deze buurt de Australische variant van de PvdA, de Australian Labor Party (ALP) is opgericht in het Unity Hotel.

Nu is Balmain een dure wijk geworden, met dank aan de prachtige ligging aan het water. De wijk staat vol met mooie victoriaanse huizen. De bekende Australische zwemlegende Dawn Fraser, die nog tegen Erica Terpstra heeft gezwommen op de Olympische Spelen van Tokio, komt uit deze wijk. Het buurtzwembad, een natuurbad in de haven, is naar haar vernoemd.

## LEICHHARDT

Wie in Sydney aan Italië denkt, noemt Leichhardt. Dit is de wijk (genoemd naar een grote Australische ontdekkingsreiziger) waar de Italianen in de jaren vijftig massaal heentrokken. Ze probeerden hier de herinnering aan hun Bella Italia levendig te houden. De talrijke winkels in Norton Street, het commercieel kloppende hart van dit deel van Sydney, doen denken aan Italië. Hoewel, de gebouwen zijn puur (lelijk) Australisch. Met wat fantasie is dit het *Little Italy* van Sydney.

### Italian Forum

Het gemis aan Italiaanse gebouwen ervoeren bewoners en projectontwikkelaars als een gebrek. Ze creëerden daarom een eigen stukje Italië in Leichhardt, een groot complex met winkels, appartementen in de karakteristieke, gele en roodbruine pastelkleuren die je op elk willekeurig plein

## BALMAIN

Ten noorden van Glebe ligt een andere aantrekkelijke woonwijk: Balmain. De buurt is vernoemd naar een chirurg die met de Eerste Vloot naar Australië kwam en ligt op een schiereiland in de haven. Er woonden vroeger veel arbeiders die in de haven werkten. Het leuke van de buurt is de prima verbinding per ferry met het centrum. Vanaf pier 5 op Circular Quay vertrekt elk halfuur een pont naar Balmain East (vijftien minuten varen). Het is vanaf de aanlegplaats van de ferry ongeveer 20 minuten wandelen naar het centrum van de wijk over Darling Street, een van Sydneys geliefde restaurantstraten. De buurt had een ruig imago. *'Balmain's*

in Italië ziet. De luiken zijn groen en een gietijzeren hekwerk voor de ramen ontbreekt niet. Het Italian Forum was geboren. En heel bijzonder: auto's rijden er niet. Op het plein staat een standbeeld van Dante Alighieri (1265–1321), de beroemde Italiaanse dichter.

Op de begane grond is ruimte voor een Italiaans cultureel centrum, maar die ruimte staat leeg. Zo is er veel leegstand in het complex, dat verder vooral dure kledingzaken huisvest en een keur aan Italiaanse restaurants. Het is vooral een plek waar vrouwen winkelend de dag doorbrengen. De Australiërs hebben er alles aan gedaan om de Italiaanse stijl te kopiëren en op een bepaalde manier is het ook wel gelukt. Maar ja, die vliegtuigen... Op sommige dagen laten dalende vliegtuigen de cappuccinokopjes op de tafeltjes trillen. De mogelijke charme van het plein gaat dan jammerlijk in het vliegtuiglawaai ten onder.

ⓘ ITALIAN FORUM, 28 Norton Street, Leichhardt, tel. 9518 3396.

Veel inwoners van Leichhardt mijden het Italian Forum en blijven liever op Norton Street. Daar duiken ze in een restaurant of een café voor een werkelijk Australisch Italiaanse ervaring. Wie Norton Street helemaal uitloopt, komt bij het stadhuis van Leichhardt uit 1888. Dit is het meest bijzondere gebouw van de wijk, die zich verder in weinig onderscheidt van de andere woonwijken in het westen van de stad. Plezierig, maar niet bijster bijzonder. Of het bijzondere zou moeten zijn dat veel lesbische vrouwen in de wijk zouden wonen. *Dykehardt* wordt de wijk daarom ook wel genoemd.

## NEWTOWN

Newtown is een van de populairste wijken buiten het centrum, zo niet de populairste. Dwars door de buurt loopt de drukke King Street, de eetmijl van Sydney. Hier is uit elk land wel een restaurant te vinden, met de nadruk op India en Thailand. Hier gaat het leven bijna twintig uur per dag door. In King Street staat meestal een langgerekte file van auto's. Over de trottoirs haasten zich zakenlui, studenten, yuppies, homo's en alternatievelingen. Zwervers, bedelaars en junks scharrelen rond. Voor het station verkondigen idealisten, communisten en trotskisten hun politieke ideologie en verkopen ze hun blaadjes. De jaren zestig lijken in Newtown eeuwig voort te leven.

De naam van Newtown is afgekeken van de eerste winkelier die zich in 1832 in de buurt vestigde. Hij noemde zijn winkel heel origineel New Town Stores en dat werd op den duur de naam van de hele buurt. Net als Glebe en Balmain maakte Newtown in de tweede helft van de 20ste eeuw een revival door, hoewel deze buurt meer een shabby uiterlijk heeft.

De drukte in de buurt wordt deels verklaard door de aanwezigheid van de grote University of Sydney, aan het einde van King Street richting stad. Ook heeft de buurt de naam de tweede homowijk van de stad te zijn, na Oxford Street en omgeving. Hier is ook een Dendy bioscoop, een complex waar de wat minder commerciële films draaien.

Opmerkelijk is het **St Stephens Cemetery** in Church Street, een zijstraat van King Street. Dit kerkhof bij een anglicaanse kerk is het toneel van een jaarlijks Gothic Festival, waarbij de graven worden gebruikt als bankje voor een al dan niet goed gesprek, een verliefd stel, een biertje of andere geestverruimende middelen. De kerk vindt het goed. Op het kerkhof liggen talrijke bijzondere Australiërs begraven, zoals Eliza Donnithorne, een notabele uit het Sydney van halverwege de 19de eeuw. Zij stond waarschijnlijk model voor de romanfiguur Mrs. Havisham in de roman *Great Expectations* van Charles Dickens. Haar verhaal is tragisch. Ze zou trouwen op dertigjarige leeftijd. Alles was klaar, er was een enorm banket gedekt voor alle gasten. Helaas, de bruidegom kwam niet opdagen en over het waarom doen nog talrijke verhalen de ronde. Hoe dan ook, de gasten vertrokken en de bedroefde bruid bleef achter met twee trouwe bedienden. Haar verdere leven is de tafel gedekt gebleven en stond de deur naar de eetzaal op een kier. Ook liggen er mensen die met de Eerste Vloot naar Sydney zijn gekomen, de ware pioniers van het land dus. Een bijzonder graf is het massagraf voor de slachtoffers van een van de meest dramatische scheepsrampen in Australië. In 1857 naderde de Engelse klipper de *Dunbar* na een tocht van 81 dagen de haven van Sydney. In slecht weer sloeg het schip te pletter op de rotskust. Slechts één van de ruim 120 opvarenden overleefde de ramp. De niet-geïdentificeerde lichamen zijn hier begraven, er is ook een monument voor hen. Ook veel geïdentificeerde slachtoffers vonden hier hun laatste rustplaats. Elke zondag rond 20 augustus worden de onfortuinlijke pioniers herdacht.

## Erskineville

Het aangrenzende Erskineville is een iets rustiger uitvoering van Newtown, maar deze wijk is ook levendig en de moeite waard. Vlak bij het station Erskineville van CityRail is het Rose of Australia Hotel, een van de mooiste hotels van New South Wales. Ook hier ontbreken de talrijke terrasjes niet.

## Marrickville

De volgende wijk is Marrickville, een evenzeer levendig stuk Sydney. Na de oorlog werd Marrickville het domein van de Grieken, getuige de talrijke Griekse opschriften. Later zijn er de Vietnamezen bijgekomen. In de buurt is de geschiedenis van migratieland Australië dus in een keer af te lezen.

De wijk is stukken minder populair en dus goedkoper dan Newtown, wat deels wordt verklaard door de ligging onder de belangrijke aanvliegroute van de luchthaven. Het vliegtuiglawaai is soms oorverdovend. De machines komen zo laag over, dat je bijna de piloot in de cockpit kunt zien. Veel bewoners halen er hun schouders over op. Het went, zeggen ze. De winkels zijn er bijzonder goedkoop; nergens kun je voor zo weinig geld zo veel spullen kopen. Afdingen is in dit soort buurten geen probleem, je bent stom als je het niet probeert. Wie tijd genoeg heeft, moet even door Marrickville Road wandelen.

## Parramatta Road

Wie de 19de-eeuwse gordel helemaal doorrijdt, doet dat waarschijnlijk via de Parramatta Road, een foeilelijke, zesbaans stadsautoweg dwars door woonbuurten heen. Dit is de eerste weg die de Engelsen naar het binnenland hebben aangelegd en de route gaat naar de Blue Mountains. Parramatta Road is de straat waar je een tweedehands auto koopt. Met duizenden en duizenden staan ze opgesteld bij tientallen autobedrijven. Je hoopt dat deze auto's niet allemaal op het overvolle wegennet van Sydney komen. De route leidt vlak langs Homebush Bay, de plaats waar de Olympische Spelen in 2000 zich hebben afgespeeld (□ p. 128). Iets verder weg ligt de grote **Flemington Market**, waar groentemannen, restaurants en verswinkels hun waar halen (www.sydneymarkets.com.au). Op zaterdag is iedereen welkom. Er zijn 500 kramen, waar grote hoeveelheden kunnen worden ingeslagen of gewoon een pondje tomaten kan worden gekocht. De markt ligt op loopafstand van het treinstation Flemington. Liefhebbers van kerkhoven kunnen vanaf dat station ook het **Rockwood Cemetery** verkennen. Dit is een necropolis in de

# OLYMPISCH SYDNEY

*Het olympisch zwembad*

Een golf van trots overspoelde de stad in 1993, toen het congres van het Internationaal Olympisch Comité in Monte Carlo Sydney aanwees als plaats voor de 27ste Olympische Zomerspelen in 2000. De stad versloeg Peking, Manchester, Berlijn en Istanbul. Het was de tweede keer dat de Spelen naar Australië kwamen; in 1956 was Melbourne aan de beurt geweest.

De zaken werden voortvarend aangepakt. Op een voormalige vuildump, ongeveer 20 km ten westen van de stad, verrees een groot olympisch complex. Het grote Stadium Australia, met toen meer dan 100.000 zitplaatsen, was de plaats van handeling voor de opening en de atletiek. Andere belangrijke sporten als zwemmen, tennis, hockey en atletiek vonden allemaal in de buurt van het stadion plaats.

Het wielrennen over de weg ging dwars door de stad, de zwemmers van de triathlon mochten te water voor het Opera House en de marathon ging ook door de stad. De blauwe lijn die op de straat wordt getrokken om de marathonlopers de ideale lijn te wijzen, is er nog steeds en wordt gekoesterd als een olympisch relikwie.

De Spelen waren een groot succes. Minister-president John Howard van Australië vond het zelfs de beste Spelen ooit en veel buitenlanders zijn het met hem eens. Voor Nederland waren de Spelen in Sydney in ieder geval bijzonder succesvol met twaalf gouden, negen zilveren en vier bronzen medailles. Nederland belandde daarmee op de achtste plaats van het landenklassement. De prestaties van de zwemmers Pieter van den Hoogenband en Inge de Bruijn spraken het meest tot de verbeelding.

Een ongekend groot leger van bijna 50.000 vrijwilligers maakte de Spelen tot een soepel lopende gebeurtenis met praktisch geen wanklank.

Bijzonder was de winst van de Australische Cathy Freeman op de 400 m hardlopen voor vrouwen. Zij was de eerste Aboriginal vrouw die olympisch goud behaalde en blank Australië sloot haar massaal in de armen.

Het Olympisch Park is nu een toeristische attractie geworden met onder meer rondleidingen door het Olympisch Stadion.

---

ware zin van het woord. De begraafplaats is een uitgestrekte stad waar elke religie haar eigen wijk heeft. Sinds 1867 zijn er 800.000 mensen begraven en 200.000 gecremeerd. De meeste bezoekers rijden met auto's over de begraafplaats, maar een wandeling kan natuurlijk ook.

## PARRAMATTA

De wijk Parramatta is de eerste plek in het binnenland die de Engelsen koloniseerden. De eerste weg naar het binnenland ging naar Parramatta, nu de belangrijkste voorstad van Sydney, grofweg 25 km van het centrum. Dit is het geografische hart van de agglomeratie Sydney. Zeven maanden na de aankomst van de Eerste Vloot was er al

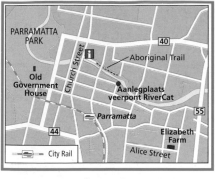

*Parramatta*

is). De gouverneurs Hunter en Macquarie lieten het huis tussen 1799 en 1818 bouwen in een fraai park. De grandeur van toen is goed bewaard gebleven. Bezoekers kunnen zich vergapen aan 'de mooiste koloniale meubelen'.

Bijzonder is verder een 800 m lang wandelpad langs de rivier. Het pad is aangelegd als aandenken aan de rijke Aboriginal cultuur van het gebied. Mooie, kleurrijke tekeningen vertellen de geschiedenis van de lokale Aboriginal stam.

Wie zo ver is gekomen, moet de **Elizabeth Farm** niet overslaan. In 1793, vijf jaar na de aankomst van de Eerste Vloot, werd al met de bouw van de boerderij begonnen. De eerste bewoners waren John en Elizabeth Macarthur. De plek is ook de geboorteplaats van de Australische wolindustrie. Dit type huis stond model voor wat de Aus-

een nederzetting op deze plaats. Dat heeft natuurlijk te maken met de gunstige ligging aan de rivier. Het gebied was beter geschikt voor landbouw dan vlak aan de kust. In 1790 telde het stadje al 552 inwoners, van wie 500 veroordeelden. De nederzetting was een succes. In 1800 was er een stad met alles erop en eraan, zoals scholen, ziekenhuizen en kerken. Parramatta probeert met die feiten toeristen naar het stadje te lokken. 'Er staan meer historische gebouwen dan op The Rocks,' stelt het toeristenbureau met trots in een folder.

Nou vooruit, een reisje naar Parramatta is best de moeite waard. De ferrytocht over de rivier verveelt geen seconde en de boot legt vlak bij de binnenstad aan. Een wandeling door Parramatta verveelt niet, maar voegt weinig toe aan wat in Sydney te zien is. Het bezoekerscentrum heeft een brochure met een stadswandeling.

De hoogtepunten? Het **Old Government House** in Parramatta is het oudste openbare gebouw van Australië (voor wat die kwalificatie waard

*Een beschilderd wandelpad van 800 meter herinnert aan de Aboriginal geschiedenis van Parramatta.*

## OZZI SLANG

*'G'day mate. Wanna have a tinnie of VB this arvo, it's my shout. Onya.'*

Wie kort na aankomst in Sydney een gesprek probeert aan te knopen met een *lokalo*, waant zich qua taal in de binnenlanden van Afrika. Spreken ze hier Engels? Wat is dit voor binnensmonds gebrabbel? De Nederlander die met zijn keurige middelbareschool-Engels probeert te communiceren, wordt niet zelden met vragende blikken aangekeken.

Troost je. De verbazing en later lichte wanhoop horen bij de ervaringen van de toerist die voor het eerst voet aan land zet in Australië. De Australiërs spreken namelijk geen Engels, ze spreken Ozzi-Engels: een brabbel-*slang* vol met eigen onbegrijpelijke woorden en afkortingen. En elke deelstaat heeft zijn eigen slang, dus wie rondreist, is voortdurend in verwarring. Het enige dat helpt is: vragen wat iemand bedoelt. Na verloop van tijd leer je stukje bij beetje de Ozzi-taal te begrijpen. Om je een klein beetje op weg te helpen, hierbij een eerstehulp-woordenlijst:

*In het Australische slang korten ze woorden graag af. Dit bord probeert automobilisten te lokken voor een periodieke controle van de auto.*

| | | | |
|---|---|---|---|
| Arvo (*this afternoon*) | vanmiddag | Cockys (*cocearoach*) | kakkerlak |
| Awesome | fantastisch | To cop a butchers hook | een kijkje nemen |
| Barbie (*barbecue*) | barbecue | Cossie | zwembroek |
| Brekky (*breakfast*) | ontbijt | (*swimming costume*) | |
| Billabong | meertje | Croc (*crocodile*) | krokodil |
| Bloke | man | Dunny | toilet buiten |
| Bludger | klaploper | Drongo | iemand die traag van |
| Budgie smugglers | zwembroek | | begrip is |
| Chuck a brown eye | je broek laten zakken | Eftpos | pinnen |

tralische droom is gaan heten: een huis op een acre (0,25 ha) grond, een veranda en wat tierelantijntjes. Bezoekers van de boerderij kunnen in de Elizabeth Farm Tearooms mijmeren over de vroegere tijden.

ⓘ BEZOEKERSCENTRUM PARRAMATTA, Church Street, tel. 8839 3311, www.parracity.nsw.gov.au. Geopend: dag. 9–17uur.
OLD GOVERNMENT HOUSE, tel. 9635 8149. Geopend: ma.–vr. 10–16. za.–zo. 10 –16 uur.
ELIZABETH FARM, 70 Alice Street, Rosehill, tel. 9635 9488, www.hht.net.au. Geopend: dag. 10–17 uur.

### NOG VERDER WESTWAARTS

En nog is Sydney niet gedaan. De stad strekt zich nog 30 km verder naar het westen uit tot aan **Penrith,** aan de voet van de Blue Mountains. Wie op weg naar dat schitterende natuurgebied is, hoeft hier niet te stoppen. Er is niet veel bijzonders te zien in deze buitenwijk. In Penrith ligt wel het roeicentrum voor de Olympische Spelen, alsmede de wildwaterbaan, waar een wildwaterexcursie kan worden gemaakt. De wijk heeft ook het **Museum of Fire** van Sydney. Het is niet zo vreemd dat het museum juist hier ligt, want de bossen (en dus ook de bosbranden) van de Blue Mountains liggen vlak om de hoek. Het museum biedt de bekende verzameling helmen, brandweerauto's en andere

| | | | |
|---|---|---|---|
| Fair dinkum | echt waar! | Riot | wild feestje |
| Freshie | een krokodil in zoetwater | You little ripper! | geweldig, fantastisch! |
| | | Roo (kangaroo) | kangoeroe |
| Fuck(ing) oath mate! | echt waar | Saltie | een krokodil in zout water |
| G'day (goodday) | goedendag | | |
| Garbo (garbage) | vuilnisman | Scooner | groot glas bier |
| Gumtree | eucalyptusboom | Slab | pak met 24 blikjes bier |
| Greenie | natuurbeschermer | Snags (sausages) | worstjes |
| Hooroo (goodbye) | dag | Station | grote veeboerderij |
| Hotel | kroeg | Strine | Australisch Engels |
| It's my shout | ik geef een rondje | Strewth! | Oh mijn hemel! |
| She'll be jake | alles zal goed komen | Stubby | fles bier van 375 ml |
| Joey | jonge kangoeroe | Sunnies | zonnebril |
| Main (main course) | hoofdmaaltijd | Ta (thanks) | dank je |
| Mate | kameraad, aanspreektitel onder mannen | Tea in 'comming for tea' | kom je vanavond eten? |
| | | Thongs | slippers |
| Mozzie (mosquito) | mug | Tinnie | blerblikje |
| Ocker | typisch rauw Australisch | Togs | zwemkleren |
| | | Trainers | sportschoenen |
| Onya (good on you) | goed zo! | Tucker | eten |
| Outback | verlaten platteland | Ute (utility vehicle) | personenauto met open laadbak |
| Pissed | dronken | | |
| Pokies | gokautomaat | VB (Victoria Bitter) | biermerk |
| Pommie | Engelsman, van Prisoner of His or Her Majesty | Wog | scheldwoord voor Libanees |
| Posh | bekakt | Wowser | spelbreker |
| | | Yakka | hard werk |

brandweerspullen die bij de liefhebbers tot de verbeelding spreken.

ℹ MUSEUM OF FIRE, 1 Museum Drive Penrith, tel. 4731 3000, www.museumoffire.com.au. Geopend: dag. 9.30–16.30 uur; toegang: 8 AuS.

### Hawkesbury River

Ten noorden van Penrith liggen de dorpen **Richmond, Windsor** en **Sint Albans**. De plaatsjes zijn oude nederzettingen uit het einde van de 18de eeuw en dat valt te zien. Veel toeristen komen er niet, maar vooral Windsor is best aardig voor wie wat tijd over heeft. Er stopt een trein van de City-Rail. Het gerechtsgebouw uit 1822 is ontworpen door de befaamde architect Green-way. The Macquarie Arms Hotel heeft al een licentie sinds 1815 en schenkt nog steeds alcohol.

Ook een wandeling door Richmond verveelt niet, maar het is veel van hetzelfde. Zo'n 20 km ten noorden van Windsor, aan de oever van de Hawkesbury River, staat de oudste kerk van Australië: de anglicaanse Ebenezer Church uit 1807. De kerk is nog steeds in gebruik en hanteert de leuze 'Tot hiertoe heeft de Heere ons geholpen'. De kerk kan worden bezichtigd. De tocht er naar toe is mooi, de wegen zijn rustig, het landschap groen. En dat allemaal vlak bij de drukke wereldstad Sydney.

ℹ www.hawkesburytourism.com

# MET KINDEREN IN SYDNEY

Net zoals andere wereldsteden is Sydney niet bijster geschikt om met jonge kinderen rond te sjouwen. Je kunt dan wel als ouder willen genieten van het Opera House en een bezoek willen brengen aan het museum voor hedendaagse kunst, een dreinend, aan je armen trekkend kind denkt daar heel anders over. De felle zon en de hoge temperaturen zijn daarnaast ook niet echt bevorderlijk voor optimaal familiegeluk. Wie niettemin het avontuur met de kleintjes wil aangaan, heeft misschien houvast aan de volgende tips:

- Het **Sydney Aquarium** in Darling Harbour is zeer kindvriendelijk. Altijd

*Het Lunapark in het noorden van de stad, vlak bij de Harbour Bridge, is een leuk uitje met kinderen.*

leuk om naar gekleurde vissen en naar hoppende zeehonden te kijken. Je mag bovendien veel aanraken. In de speciale onderwatertunnels zwemmen de schildpadden en vissen boven en langs de kinderen heen. Ook grote haaien trouwens, dus die kunnen minder goed zijn voor de toekomstige nachtrust.

- In Darling Harbour staat ook het **Imaxtheater** met 3D-films op een megafilmdoek. Zoek wel een onschuldige film uit, want anders zit je met een geschrokken en gillend kind op je schoot in de bioscoopstoel.
- Het Australisch **Nationaal Maritiem Museum** in Darling Harbour is voor veel kinderen een geliefde plek. Tegen betaling kun je rondkijken op een replica van de *Endeavour*, het schip waarmee kapitein Cook voor het eerst Australië aandeed. Kinderen (en volwassenen) verbazen zich over de kleine ruimtes aan dek. Hoe is het mogelijk dat zoveel mensen op zo'n kleine ruimte samenleefden? Spannend is ook een bezoek aan de onderzeeboot *Onslow* en het marinefregat *Vampire*.
- Tegenover het Informatiecentrum van Darling Harbour is een **speelplaats** voor de kinderen ingericht. Klimmen, klauteren en glijden. Vlakbij is een meertje, waar je een bootje kunt huren. Altijd leuk om te varen. De McDonald's om de hoek kan misschien een verveelde kinderziel tot inkeer brengen.
- Om de hoek bij Darling Harbour ligt het moderne **Powerhouse Museum** met tal van leuke tentoonstellingen.

Het museum is bijzonder geschikt voor kinderen. Dankzij het gebruik van computers en andere technische hoogstandjes is het museum een moderne speelplaats.

- De **dierentuin** in Sydney-Noord is uiterst geschikt voor een dagje uit. Neem de pont en de kabelbaan en wandel door de fraai aangelegde dierentuin. De kinderen kunnen daar kennis maken met typisch Australische dieren, zoals de koala en de kangoeroe. Leuk en educatief. Het mooie uitzicht op de stad Sydney is voor de ouders een gratis bonus.
- Is kijken niet voldoende? Neem het kind mee naar het **Koala Park** of het **Featherdale Wildlife Park** in het verre westen van de stad. Daar kunnen ze gezellig met koala's knuffelen en beesten voeren.
- Het **Opera House** biedt uitkomst aan ouders die zonder kinderen het beroemde gebouw uitvoerig willen bezoeken. Het organiseert speciale kinderevenementen, zodat vader en moeder rustig kunnen rondwandelen.
- Is het te heet om te wandelen of iets te bezoeken? **Water** biedt uitkomst. Neem de pont naar Manly en ga naar het familiestrand daar. Is dat te vol, of heeft het kind angst voor haaien (dat krijg je na een bezoek aan het Sydney Aquarium), dan is er in Manly een waterpretpark: Manly Waterworks.
- Functions a Float organiseert voor kinderen vanaf 5 jaar een speciale **rondvaart**: Danny the Dolphin. De tocht duurt anderhalf uur en de kinderen worden onderweg vermaakt. De ouders kunnen dus zonder zorgen naar het moois buiten kijken (tel. 9518 9882, www.functionsafloat.com.au).

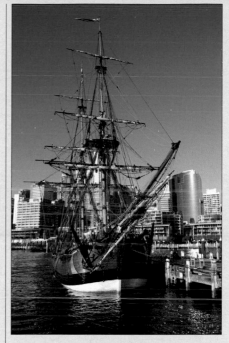

*Het Maritiem Museum*

- De **Sydney Tower** in het centrum van Sydney (Centrepoint) kan voor kinderen een leuk uitje zijn. Voordat je met de lift naar boven zoeft en vanaf grote hoogte over de stad kunt kijken, maak je in een Dysneylandachtige setting kennis met de stad. De grotere kinderen die geen hoogtevrees hebben, kunnen met de Sky Walk buiten een rondje om de toren lopen. Duur, maar opwindend.
- Het **strand** bij La Perouse is een stuk veiliger voor kinderen dan de bekende stranden als Manly, Bondi en Coogee omdat er geen branding is en het heel langzaam diep wordt. Bovendien treedt op dit schiereiland elke zondagmiddag een beroemde reptielenman op die alles vertelt over slangen. Best griezelig, ook als je geen Engels verstaat.

# 8

# Bondi, Coogee en de Southern Beaches

Wat Sydney zo bijzonder maakt, is de ligging aan het water. Welke andere metropool heeft zulke prachtige stranden met wit zand, blauw water, schuimende golven en stralende zon om de hoek? Sydney staat daarom synoniem voor zonnen op het strand, zwemmen in zee en, dat vooral, surfen op de metershoge golven. 'Een dag niet naar het strand gaan, is voor ons een dag missen in het leven,' zei een surfboy over de passie van de Australiërs voor hun stranden.

Iedereen op de wereld kent natuurlijk de foto's van de stoere strandwachten, die met hun geelrode badmutsen op de strandgangers behoeden voor de gevaren van de zee. Bondi Beach is in Sydney het beroemdste strand. In alle folders en boekjes over Sydney duikt Bondi op. Het strand is ongekend populair bij jongeren, wat te-

gelijkertijd een nadeel is. Want meestal is het overvol op Bondi. Gelukkig telt Sydney nog eens tientallen andere, vaak kleinere, strandjes, waar het paradijselijk gevoel groot is.

## BONDI BEACH

Toegegeven, Bondi Beach is een mooi strand. Het is een lange strip witgeel zand met een drukke boulevard, waarop talrijke terrasjes, winkeltjes en restaurants uitkijken. Maar is dit het mooiste strand ter wereld? Daarover lopen de meningen uiteraard uiteen.

Al vanaf 1855 was er sprake van toerisme naar Bondi. De naam is afgeleid van een Aboriginal woord dat 'het geluid van water dat op de rotsen beukt' betekent. Destijds was het mogelijk om in het gebied te picknicken of te wandelen, maar toegang

◀ *Bondi Beach: een surfer bereidt zich voor op de strijd met de golven.*   ▲ *IJskraam op het strand van Bondi*

## ZWEMMEN TUSSEN DE VLAGGEN

De branding in de zee kan gevaarlijk zijn, de stroming ongekend sterk, er zwemmen haaien voor de kust en soms wil er wel eens een regiment kwallen voorbijdrijven. Nee, het zwemmen in de Australische zee is niet altijd zonder gevaar. Vandaar dat alle drukke stranden een uitgekiend bewakingssysteem kennen. Dat systeem laat zich samenvatten met de woorden: 'Zwem tussen de geelrode vlaggen.' Surfers mogen daar niet komen, die moeten met hun planken buiten de vlaggen blijven om ongelukken te voorkomen.

In het deel van de zee tussen de vlaggen turen strandwachten, in geelrode kleren en met geelrode pet, naar het water en halen iedereen eruit die in gevaar dreigt te komen. En dat is vaker nodig dan je denkt. Bij groot gevaar (een haai!) gaat de sirene en wordt iedereen gemaand uit het water te komen.

*Blijf zwemmend op zee altijd tussen de roodgele vlaggen.*

De meeste strandwachten zijn vrijwilligers die hun vrije tijd opofferen, zodat anderen veilig kunnen zwemmen. Het baantje heeft een hoog aanzien. Mensen staan in de rij om strandwacht te worden, vooral ook omdat dit de toegang is tot een lidmaatschap van de reddingsclub van het strand. Wie een aantal jaren dienst heeft gedaan, kan daar zijn hele leven van profiteren, zoals van de regelmatige bijeenkomsten van de vereniging waar een biertje wordt gedronken. Deze verenigingen organiseren ook zwemwedstrijden over 1000 tot 2000 m door zee. Meestal ga je zo ver niet, ook al kun je goed zwemmen, maar tijdens zo'n zwemtocht is dat wel verantwoord.

tot het strand was verboden. Pogingen om in 1859 een deel van het strand toegankelijk te maken voor het publiek strandden op verzet van de regering. Pas in juni 1882 mochten de Sydneysiders eindelijk officieel in het zeewater van Bondi springen en begon het zand aan zijn opmars op de wereldranglijst van stranden.

Bondi is niet het grootste, maar wel het drukste strand van Sydney. Verklaarbaar, want het ligt het dichtst (8 km) bij het centrum. Bezoekersaantallen zijn grove schattingen, maar lopen jaarlijks in de miljoenen. De zandstrook is 1000 m lang en grofweg opgesplitst in Bondi Noord (links met je neus naar de zee) en gewoon Bondi. Er zijn twee reddingsbrigades actief en bij het strand zijn twee rotszwembaden uitgehakt: een links bij Ben Buckler en een rechts bij het wandelpad naar Coogee. Het rotszwembad daar is de beroemde thuisbasis van de club Bondi Ice-

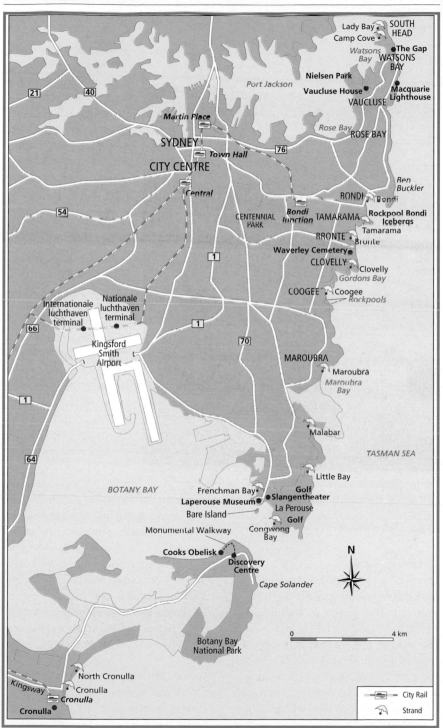

Bondi en andere stranden

*Op mooie dagen is het strand van Bondi afgeladen druk.*

*press* heet de stroming bij de locals, vanwege de grote hoeveelheid rugzaktoeristen die soms dronken in zee springen en dan worden meegesleurd. Bovendien kan de branding ongemeen sterk zijn. In februari 1938 doodde een serie reuzengolven op Bondi vier badgasten. Wees daarom niet verbaasd als het strand op een snikhete dag gesloten is, dit komt geregeld voor. Er valt het hele jaar wel in zee te zwemmen. In de zomer is de gemiddelde temperatuur van het water 24 graden, in de winter daalt dat naar 16 graden; fris, maar te doen. De reddingsbrigades op Bondi zijn in ieder geval 365 dagen per jaar actief van grofweg zonsopgang tot zonsondergang. En het is er relatief veilig wat haaien betreft. In 1937 maakte de reuzenvis het laatste dodelijke slachtoffer. Er hangt op 150 m van het strand een haaiennet om de gevaarlijke dieren op afstand te houden.

Op zomerse dagen is het strand werkelijk afgeladen. Zandvoort is er niks bij. Aan parasols doen ze om de een of andere reden niet. Sommige badgasten nemen een tentje mee, andere liggen werkelijk te bakken in de zon met een flesje zonnebrand naast zich.

Uiteraard biedt Bondi een uitgebreide keuze aan koffieshops en eettentjes, net als overal in Sydney. De boulevard doet wat chaotisch aan, zeg maar Belgisch, waar lage appartementencomplexen ogen-

bergs. Je kunt er gaan zwemmen als de zee te ruw is.

## Backpackers Express

De zee is hier geen rustig kabbelend water, zoals aan de Noordzee. Bondi is een gevaarlijk strand. Volgens de kwalificatie van de Australische reddingsbrigade is Noord-Bondi nog redelijk veilig (4 op een maximale score van 10), het zuidelijk deel scoort een 7. Er staat daar vaak een nogal sterke stroming die onervaren zwemmers de zee op trekt om ze meestal twee stranden verder weer op het strand van Bronte te doen aanspoelen. De *backpackers ex-*

schijnlijk lukraak zonder enige visie zijn neergezet. Het betonnen wegdek lijkt vooroorlogs. Maar een blik op het strand is natuurlijk onvergetelijk. Veel beter kun je het niet krijgen.

Bondi is goed te bereiken met het openbaar vervoer. Ga met de trein naar Bondi Junction en stap daar over op een van de bussen die naar het strand rijden. Merkwaardig genoeg is de spoorlijn die nu eindigt bij Bondi Junction, niet doorgetrokken naar het strand. Een voorstel in 1998 om de trein naar zee te laten rijden, sneuvelde onder meer na hevig verzet van de bevolking. De bewoners waren bang dat het nog drukker zou worden op het strand en dat de onveiligheid zou toenemen. Het voordeel, minder auto-overlast in de wijk, maakte geen enkele indruk op de bewoners. Nu is de boulevard vergeven van de auto's en staat op de belangrijke toegangsweg naar Bondi steevast een file.

## VAN BONDI NAAR WATSONS BAY

Direct ten noorden van Bondi zijn geen stranden; de rotskust strekt zich uit tot South Head, de zuidelijke ingang van de haven van Sydney. Het is er goed wandelen en dan vooral bij het laatste stuk in de buurt van Watsons Bay. Zo'n 5 km ten noorden van Bondi staat de oudste vuurtoren van Australië. Het hele stuk naar de vuurtoren is te wandelen, veelal over een wandelpad langs en over de rotskliffen, soms een stukje door een woonwijk. Maar een bus (L 82) is ook een optie. Deze rijdt tussen Bondi en Watsons Bay. Uitstappen bij de vuurtoren.

### Macquarie Lighthouse

Al in 1791 was er op deze plaats een baken om de schippers naar de ingang van de haven van Sydney te loodsen. Het witte Macquarie Lighthouse stamt uit 1818, de hoge toren is van 1883 en steekt 105 m boven het zeeniveau uit. Elke tien seconden knippert het licht twee keer.

De vuurtoren is gebouwd onder toezicht van gouverneur Macquarie, die het gebouw maar naar zichzelf heeft vernoemd. Zijn huisarchitect Francis Greenway tekende voor het ontwerp. De vuurtoren is zo nu en dan te bezoeken. De Sydney Harbour Federation Trust organiseert tweemaandelijkse rondleidingen. Bel en wie weet, heb je geluk. Zeker is dat de vuurtoren tijdens de jaarlijkse internationale vuurtorendag is geopend. Die dag valt meestal op een zondag in de tweede helft van augustus.

ℹ️ MACQUARIE LIGHTHOUSE, Old South Head Road, Vaucluse. Info: Sydney Harbour Federation Trust, tel. 8969 2100, www.harbourtrust.gov.au of www.lighthouse.net.au.

### The Gap

Ongeveer een kilometer ten noorden van de vuurtoren ligt **Gap Park**, het hoogtepunt van de tocht naar South Head. Nergens steken de kliffen zo hoog uit zee als hier. Het is een goede plaats om naar het geweld van de zee te kijken. Er gaan geruchten dat de beroemde filmmaker Alfred Hitchcock erg onder de indruk was van de plek en dan niet alleen vanwege het uitzicht. Behalve toeristen trekt deze plek ook (wanhopige) Sydneysiders die zich het leven willen ontnemen of die zich van iemand willen ontdoen.

De hekken staan er dus niet voor niets. Er staat een boete van 150 Au$ op als je erover klimt. Maar het hek is niet hoog genoeg; The Gap is de meest populaire plaats voor zelfdoding in de stad. Enige tientallen mensen per jaar benemen zich hier het leven. De plek op de grens van leven en dood fascineert velen. Ook 's nachts is het de moeite waard om een keer te gaan kijken, wacht op volle maan en huiver.

Een van de opvallendste moorden hier gepleegd, is die op fotomodel Caroline Byrne (24). Ze werd in 1995 dood gevonden on-

*The Gap is een even prachtig als luguber stukje kust.*

Head zijn een paar militaire gebouwen geplaatst. Hier was ook de artillerieschool van Australië, waar soldaten leerden hoe ze een kanon moesten afschieten. Een deel van het gebied is nog steeds van het leger, maar de punt van South Head is via een duidelijk wandelpad goed te bereiken.

### Watsons Bay

Aan de andere kant van de kliffen gaat het dan weer terug naar de stad naar Watsons Bay, een aanlegplaats van de ferry naar Circular Quay. Aan de havenkant zijn weer de nodige stranden te vinden. Deze zijn veel rustiger, er is nauwelijks golfslag en de stranden bieden vaak een mooi uitzicht op de stad. Het is er ook veel veiliger om te zwemmen dan in de echte zee.

Het eerste strandje is Lady Bay Beach, een van de weinige naaktstranden van Sydney. Bij mooi weer is het hier proppen, want het strand (geliefd bij homo's) is piepklein. Een paar honderd meter verderop ligt voor Watsons Bay een groter strand: Camp Cove. Watsons Bay zelf is een wijk met tal van mooie woonhuizen. Het wachten op de ferry naar de stad is hier geen straf, want er zijn veel goede visrestaurants. Maar de stad is uiteraard ook over land te bereiken. Dat kan met een populaire wandeling, die tussen Rose Bay en Vaucluse, de

der aan de rotsen. Zelfmoord dacht de politie, maar pas na langdurig onderzoek bleek dat onwaarschijnlijk. In 2006 werd haar voormalige vriend in Londen aangehouden.

### South Head

South Head is daarna niet ver meer. Dit is de zuidelijke toegangsrots van de haven van Sydney. Op deze punt in zee staan geen woonhuizen, omdat het leger hier de dienst uitmaakte. Een betere plek om de ingang van de haven te bewaken en dus Sydney te beschermen, is er niet. Op South

## SURFEN, SNORKELEN EN DUIKEN

Het is voor ons Nederlanders jaloersmakend: snelle jongens en meisjes die op hun surfplank met speels gemak de woeste golven berijden. Het lijkt zo eenvoudig, maar wie voor het eerst op een wiebelende plank in zee staat, beseft dat surfen heel veel oefening vergt. Je kunt les nemen bij Let's Go Surfing (www.letsgosurfing.com.au) op Bondi Beach. De beste surfplekken zijn volgens de kenners bij North Narrabeen, Dee Why Point, Fairy Bower, Avalon, Long Reef en Cronulla Beach.

Snorkelen is misschien minder spectaculair, maar in ieder geval veel eenvoudiger. Je hoeft niet helemaal naar het tropische noorden te gaan om mooie vissen onder water of dolfijnen te zien.

Sydney kent een aantal goede snorkelplekken: Gordons Bay bij Coogee, Camp Cove bij Watsons Bay, Clovelly en in het noorden: Shelley Beach, Fairlight en Harbord. Wie dieper wil gaan, kan in Sydney ook (leren) duiken. Er is genoeg aanbod van duikscholen:
www.divesydney.com; www.abyss.com.au; www.cronullabeachyha.com.

*Op veel plaatsen is de zee zo helder, dat de pracht onder water met een duikbril en snorkel valt te bewonderen.*

wijk ten zuiden van Watsons Bay. De wandeling is eenvoudig: volg de waterlijn. Ongeveer halverwege komt de wandelaar in **Nielsen Park**. In dit park uit 1911 is een kiosk, waar veel bewoners langskomen om ijs of pizza te halen. Bij het strand van het park, Shark Beach, hangen netten die de zwemmers beschermen tegen de haaien. Dit park heeft veel schaduwrijke plekken en biedt een prachtig mooi uitzicht op de haven.

In **Rose Bay** is weer een aanlegplaats voor de ferry naar de stad. Uit die baai stijgen watervliegtuigen op, die eenvoudig zijn te charteren voor een rondvlucht boven Sydney en de wijde omgeving.

De wijk Vaucluse is vernoemd naar de Franse regio in de Provence. Een attractie daar is het **Vaucluse House**. Dit was het landhuis van William Wentworth, de grondlegger van de Australische grond-

wet. De villa heeft drie verdiepingen en zestien kamers. Leuk om even te bezoeken.

🛈 VAUCLUSE HOUSE, Wentworth Road, tel. 9388 7922, www.hht.nsw.gov.au. Geopend: di.–zo. 10–16.30 uur.

### VAN BONDI NAAR COOGEE EN VERDER

Wie meer zeestranden wil zien, moet vanuit Bondi naar het zuiden gaan. Maar echt veel zandstranden zijn er niet. Naar een kilometer lang strand, zoals in Nederland, zul je in Sydney tevergeefs zoeken. De kust bestaat vooral uit rotsen (zandsteen), waarin de zee soms steile kliffen heeft gebeukt.

Vanuit Bondi loopt een schitterende wandelroute naar het zuiden; een aanrader, vooral in november als er langs de route werk van kunstenaars is opgesteld (Sculptures by the Sea). Dit is de populairste wandeling in Sydney. Het pad slingert langs de rotsen en biedt het ene na het andere uitzicht. Het eerste strandje in een nauwe baai is Tamarama. Het is een klein, knus strandje waar de golven grote hoogte kunnen bereiken. Het is er te smal om te surfen, dus dit strand trekt een ander publiek dan Bondi.

## Bronte Beach

Wie verder gaat, komt op het wat bredere Bronte Beach. Dit is een iets groter strand, bekend van de verraderlijke branding. Het geheel is een verkleinde uitvoering van Bondi, maar net iets knusser. Hier kun je koffiedrinken op een terras op de boulevard en de branding zien breken en de palmen zien wuiven.

Daarna volgt het hoogtepunt van de wandeling:

*Een van de vele 'rockpools' langs de kust. McIvers Baths, iets ten zuiden van Coogee, is speciaal bestemd voor vrouwen.*

de **begraafplaats van Waverley**, een groot, beetje hellend terrein vol met graven. Ieder graf heeft uitzicht op zee. *'Awake him not; surely he takes his fill of deep and liquid rest, forgetful of all ill'*, staat op een graf van de Australische dichter des vaderlands Henry Kendall (1839–1882). Het is er rustig. Alleen de wind en het geraas van de golven prikkelen de oren. De stadse drukte lijkt ineens ver weg. Al vanaf 1877 worden op deze plek mensen ter aarde besteld. Het kerkhof dat toen nog aan de rand van de stad lag, begon klein. Nu liggen er op 16 ha kerkhof circa 50.000 graven, waarin soms drie mensen liggen. Er zijn in de ruim 130 jaar bijna een kwart miljoen mensen begraven.

Er worden nog steeds elke dag (behalve zondag) mensen begraven op wat wel het mooiste kerkhof van Australië wordt genoemd. Er ligt een indrukwekkende hoeveelheid beroemdheden, acteurs, schrijvers, politici en sporthelden, al zeggen de namen de meeste Europeanen niet zo veel. Hier liggen de al eerder genoemde dichter Kendall en de luchtvaartpionier Lawrence Hargrave, bokser en zwemmer Harold Hardwick, krantenman J.F. Archibald en boekverkoper William Dymock (er is een keten met zijn naam). De begraafplaats is ook gebruikt in talrijke films, zoals in 2002 *Dirty Deeds*. De opname van de begrafenis van een van de hoofdrolspelers van de Australische soap *Home and Away* werd hier gemaakt.

Vlak na de begraafplaats komt **Clovelly Bay**, een natuurlijk zwembad in zee. Het is een smalle baai, waar het goed zwemmen is. De vissen schieten onder je door en om de een of andere reden is de branding hier niet zo intens als op andere stranden. Via Gordons Bay eindigt de wandeling in **Coogee**, 6 km van Bondi. Dit is het op een na populairste strand. Coogee ligt aan een gewone wijk met gewone mensen en die gaan op warme dagen zonder al te veel pretenties naar zee. Ook zijn hier enige grote backpackershotels, zodat er ook altijd groepen uitgelaten jongeren op het strand uit hun dak gaan.

De brede boulevard biedt het bekende repertoire aan cafés. Dit is ook het eindpunt van de wandeling van Bondi naar Coogee, of het beginpunt voor iemand die de wandeling andersom doet (kies de richting van de wandelroute afhankelijk van de wind; wind in de rug is veel aangenamer).

## Maroubra Beach

De enthousiastelingen moeten eigenlijk verder wandelen, want het blijft spectaculair. Vlak na Coogee ligt een van de weinige alleen voor vrouwen (en kinderen) toegankelijke rotsbaden: de **McIvers Baths**. De opzet is dat hier moslimvrouwen zouden kunnen zwemmen zonder de aanwezigheid van mannen, maar de praktijk is dat het vooral een mekka is voor topless zonnende lesbodames.

Iets verderop ligt **Wylie's Baths**, een zeebad dat voor iedereen toegankelijk is. Na weer een uurtje lopen volgt **Maroubra Beach** bij het Arthur Byme Reserve. Dat is ook een mooi, maar weinig opvallend strand, veel rustiger dan Coogee en Bondi.

## La Perouse

Wie nog verder afzakt naar het zuiden (neem de bus), komt op het schiereiland aan, waar de Botany Bay en de Tasmanzee met elkaar in aanraking komen. La Perouse heet dit puntje. Hier kwam Arthur Phillip aan met zijn Eerste Vloot, voordat hij naar Sydney Cove ging om daar een nederzetting te stichting. Het **Lapérouse Museum** op het schiereiland vertelt iets over de eerste dagen van de grote stroom kolonisten in 1788.

Het schiereiland is genoemd naar de Franse ontdekkingsreiziger en kapitein Jean-Francois de Galaup, Comte de la Perouse. Zijn doel was om in opdracht van koning Louis XVI te kijken of er in de zuidelijke Pacific een kolonie gesticht kon worden. James Cook had al verhaald over zijn ontdekkingen en Frankrijk kon niet achter blijven. Op 13 januari 1788 voer La Perouse Botany Bay binnen en ontmoette daar Arthur Phillip, die toevallig een paar dagen daarvoor met zijn gevangenen was aangekomen om er een kolonie te stichten. Gevochten is er niet, zo blijkt, maar na enige maanden vertrok La Perouse onverrichter zake. Hij kwam nooit in Frankrijk aan. Zijn vloot verging met man en muis bij de Nieuwe Hebriden. Hier in Sydney leeft hij voort.

Er is een strandje aan de rustige zijde van de baai, ideaal voor gezinnen met kinderen die de golven van de oceaan willen mijden. Het uitzicht daarentegen is afschuwelijk. Landende of stijgende vliegtuigen en de hijskranen en opslagsilo's van de grote haven van Sydney met het bijbehorende lawaai bederven het strandgevoel. Het leprozeneiland **Bare Island** kan worden bezocht (za. 13.30 uur) en verder heeft het plekje enige faam verworven door de reptielenshows van de familie Cann. Op zondag van 13.30 uur kunnen de badgasten kijken naar kunstjes met slangen.

# ZON EN ZONNEBRAND

*Smeren tegen de zon is noodzaak. Aan de verhuur van parasols doen ze niet in Australië.*

Behalve zwemkleding, een handdoek en een boek behoort een flesje zonnebrandolie tot de standaarduitrusting van een dagje naar zee. Hoe vreemd het ook is, aan verhuur van parasols of andere schaduwwerpende hulpmiddelen heeft nog niemand gedacht in Australië. Dus smeren, smeren en nog eens smeren, wil je althans voorkomen dat je huid wordt gesloopt door de ongenadig brandende zon. Bedenk daarbij dat Australië het hoogste aantal gevallen van huidkanker kent in de wereld. Niet omdat het UV-licht hier het sterkst is, maar doordat er in Australië een voornamelijk witte bevolking leeft, die vanuit het sombere Engeland ineens in de zon is gezet.

De zogenoemde UV-index is van wezenlijk belang voor iemand die naar buiten stapt. Deze index, die de kracht van de ultraviolette straling van de zon weergeeft, hangt af van een groot aantal factoren, zoals het wolkendek en de dag van het jaar. Simpel gesteld is de UV-index bij zonsopkomst en zonsondergang laag. Hij bereikt een piek rond het middaguur. In de zomer kan de waarde oplopen tot boven de 11, in de winter wordt het meestal niet

---

Er zijn ook nog twee rustige strandjes, **Little** en **Great Congwong Bay Beach**. Het achterste strand biedt de mogelijkheid tot naaktrecreatie. Er hangen borden dat nudisme niet is toegestaan, maar de badgasten trekken zich daar weinig van aan. Op dit strand lijk je ver weg van Sydney. Wie naar de weelderige vegetatie kijkt, waant zich in de tropen.

ⓘ LAPÉROUSE MUSEUM, tel. 9311 3379. Geopend: wo.–zo. 10–16 uur. Gratis.

## Golf

Golfliefhebbers mogen La Perouse niet overslaan. Op het schiereiland zijn maar liefst vier golfbanen, waar de grootste (de **NSW Golf Course**) de mooiste golfbaan ter wereld zou zijn. Nou ja, dat is een hele claim, maar het is inderdaad aardig toeven tussen het groen en de zee, zeker als het vliegverkeer zich een beetje gedeisd houdt.

De enthousiasteling die een keer een balletje wil slaan, is van harte welkom. Maar een rondje over het golfmekka van New South Wales kent een prijskaartje. Reken op 260 Au$ per persoon voor 18 holes en nog eens een kleine 100 voor de huur van de uitrusting. En let op de kledingsvoorschriften.

meer dan 3. Vergelijk dat met Nederland waar de UV-waarde in de winter niet ver boven 0 uitkomt en in de zomer gemiddeld de waarde 4 haalt (met uitschieters naar boven).

Laat je niet misleiden. Ook uit een bewolkte hemel komt soms een ongenadige hoeveelheid UV-straling. En ook in het water kun je verbranden. De UV-straling laat zich niet afremmen door het dunne laagje water tussen jou en de lucht. Voeg daarbij het gat in de ozonlaag en er is dus reden om alle aandacht te geven aan de bescherming van de huid.

De autoriteiten hanteren een paar simpele adviezen:

**UV-index**

minder dan 2   zonder bescherming naar buiten

3-5            hoed, pet, zonnebrandcrème smeren, zonnebril op en blijf in de schaduw

6-7            zoals hierboven en binnen blijven tussen grofweg 11 en 15 uur (zomertijd)

8-10           binnenblijven, en als het niet anders kan alle voorzorgsmaatregelen nemen die mogelijk zijn

11 of hoger    dit is een extreme hoeveelheid UV – binnenblijven dus

In Sydney is er volop aandacht voor bescherming tegen de UV-straling. Er is een landelijke campagne *Slip, slap slop* genaamd. *Slip* je in je T-shirt, *slap* (smijt) een hoed op je hoofd en *slop* (overvloedig besprenkelen) zonnebrandolie op je huid. Gebruik alleen zonnebrandolie met een factor 30 of meer. SPF staat er hier op de flesjes en dat staat voor *Sun Protection Factor*. De tijd die je zonder schade in de zon kunt zitten, mag je met die factor vermenigvuldigen. Bij een UV-index van 6 is een verblijf van 20 minuten in de zon genoeg om een gevoelige (witte) huid roze te kleuren. Bij voldoende insmeren met factor 30 mag je dus 600 minuten of de hele dag in de zon blijven. Wie factor 5 smeert, moet al na 100 minuten het strand af.

Koop de zonnebrandolie hier. Veel goedkoper, zeker in de supermarkt waar ze literflessen van dat spul verkopen in handige flacons. En wees niet zuinig. Na het zwemmen opnieuw aanbrengen. Hier geldt: overdaad schaadt niet. Zelfs in de kleding is soms een maat voor de zonwerendheid afgedrukt. Het ene T-shirt weert de zon nu eenmaal beter dan het andere. Dit staat in het etiket als SPF weergegeven. Simpel gesteld: hoe hoger het cijfer hoe beter het T-shirt de zon tegen houdt. Op de website www.bom.gov.au/announcements/uv vind je elke dag de verwachte UV-index voor Sydney en andere steden.

Gelukkig zijn er nog drie golfbanen om de hoek, die een wat meer publiek karakter kennen, alle drie met uitzicht op de Tasmanzee. Het zijn de **St Micheals Golfcourse**, **The Coast Golf Course** en de **Randwick Golf Course**. Hier moet het toch lukken om voor minder dan 100 dollar een rondje te maken. Of anders wel op een van de tientallen andere golfbanen in Sydney.

ℹ NSW GOLF COURSE, tel. 9661 4455,
www.nswgolfclub.com.au.

ST MICHEALS GOLFCOURSE, tel. 9311 0068,
www.stmichaelsgolf.com.au.

COAST GOLF COURSE, tel. 9311 7422,
www.coastgolf.com.au.

RANDWICK GOLF COURSE, tel. 8347 3777,
www.randwickgolfclub.com.au.

## CAPTAIN COOKS LANDINGS PLACE

Wie vanaf La Perouse naar het zuiden over de baai kijkt, ziet bij niet al te slecht weer een witte pilaar in het groen staan. De steen markeert de plaats waar kapitein James Cook en zijn bemanning in 1770 voet aan wal zetten. De kolonisatie van Australië begon op die plek. Er vaart helaas geen veerboot van La Perouse naar deze bijzondere plaats. Bezoekers moeten een enorme omweg maken om bij dit voor het moderne Australië zo memorabele punt te komen.

## Cronulla

De toegang naar de James Cook landingsplaats loopt via Cronulla. Deze wijk in Sydney is vanuit het centrum in een uur te bereiken. Cronulla heeft een groot en een klein strand. Hier braken eind 2005 rassenrellen uit tussen blanke Australiërs en Libanezen. De beelden van blanke Australiërs die iedereen te lijf gingen met een mediterraan uiterlijk, schokten de natie en de wereld.

Het strand van North Cronulla, het grootste van Sydney, is geliefd bij de surfers vanwege de golfslag en de ruimte. Aan het eind van dit strand, ongeveer een uur lopen van het station, begint **Botany Bay National Park,** met daarin de landingsplaats van Captain Cook. Reken op ruim twee uur wandelen vanaf het station langs de kust naar de landingsplaats.

Er gaat ook een bus, die stopt voor het bezoekerscentrum van het Botany Bay National Park. De bus toert door een foeilelijk industriegebied met een olieraffinaderij en een vuilstortplaats. Vrachtwagens rijden af en aan. Cook heeft een mooiere oprijlaan verdiend.

## Discovery Centre

Het museum bij het bezoekerscentrum, Discovery Centre, verhaalt over de eerste tien dagen van Cook, toen hij op 28 april 1770 voet aan wal zette. 'Bij het aanbreken van de dag,' schreef kapitein Cook van het schip de *Endeavour* in zijn logboek, 'ontdekten we een baai waar we aanlegden aan de zuidelijke oever, ongeveer twee mijl van de ingang, in water van zes vadem diep. Breedte 34 graden zuid, lengte 208 graden 37 minuten oost.'

Cook en de zijnen wilden onderzoeken of het land geschikt was als strafkolonie van de Britse kroon. Ook moest er onderzoek worden gedaan naar de planten- en dierenwereld op het continent.

De Britten, onder wie ook de botanist Joseph Banks, werden niet bijzonder vriendelijk ontvangen, zo leert de tentoonstelling. Uit het verslag van de boordschutter Stephan Forwoord: 'Uit de boot gehesen gingen de kapitein en enige heren aan wal, waar ze werden tegengehouden door twee indianen op het strand met hun speren in hun handen die ze op de boot gericht hielden. Hoe de kapitein ook probeerde om de mannen te verleiden hun wapens neer te leggen door ze allerlei geschenken te geven, hij kon niet anders dan een aantal schoten in de lucht lossen, waardoor ze zo bang werden dat ze het bos in renden.'

## Monumental Walkway

De echte plek waar de eerste Engelsman voet op Australische bodem zette, ligt vlak achter het museum. Die plek is te bereiken via de Monumental Walkway. De eerste obelisk die de wandelaar tegenkomt, is opgericht voor de eerste Brit die het leven liet in Australië. Daarachter staat een grote marmeren bank ter ere van de onderzoeker Banks. De eigenlijke landingsplaats ligt iets verder weg: een rots in zee, waar het eerste bemanningslid van Cook voet aan wal zette. Daar is een steen met tekst op de rotsen gemetseld: 'Schipper Isaac Smith (neef van de vrouw van kapitein James Cook en later een admiraal van de Britse vloot), was de eerste Engelsman om deze rots en de kust van New South Wales te betreden.' Vlak daarbij is in 1870 een obelisk neergezet om het belangrijke feit voor blank Australië te memoreren.

Sinds 1899 is dit gebied beschermd door de autoriteiten en in 1967 kreeg de landingsplaats de status van historisch belangrijk gebied. Vanaf 1988 maakt ze deel uit van het nationale park aan de zuidkant van Sydney.

De omgeving van de landingsplaats is absoluut niet zoals Cook het gebied zag. Er

*Lifeguard van Sydney*

steekt een kilometer lange, foeilelijke pier in de baai, waar de tankers aanleggen voor de Caltex raffinaderij. In de verte is de skyline van Sydney te herkennen. Zo nu en dan scheert een vliegtuig over. Het vliegveld van Sydney ligt aan de Botany Bay, de landingsbanen steken honderden meters het water in. Echt met respect behandelen de Australiërs hun verleden niet.

CAPTAIN COOKS LANDINGS PLACE, tel. 9668 9111 www.nationalparks.nsw.gov.au. DISCOVERY CENTRE. Geopend: ma.–vr. 10–16.30, za. en zo. 11–15 uur; toegang tot park met auto 7 Au$.

# FIETSEN

Fietsen is behelpen in Sydney. Reken op wegen vol hobbels en kuilen, automobilisten die zonder kijken het portier openzwaaien, bussen die levensgevaarlijke manoeuvres uithalen en taxichauffeurs die je scheldend de weg afsnijden. Nee, de fietser in Sydney lijkt een halvegare, die niet goed door heeft waar hij mee bezig is. 'Zelfmoord,' vertelt menig, aan de auto verknochte, inwoner. 'Ben je helemaal van Bondi Beach naar de stad gefietst?' staren ze je ongelooflijk aan. Ze verbazen zich erover dat je nog leeft.

Dit wil niet zeggen dat je de fiets moet negeren. De gemeente Sydney ziet ook in dat de stad dichtslibt met auto's en promoot daarom het fietsen. Hier en daar is op het wegdek een wit fietsteken geschilderd om de automobilist te attenderen dat er andere weggebruikers zijn. Er is zelfs een net van fietsroutes met richtingsbordje. De twee mooiste bruggen, de Harbour Bridge en de ANZAC Bridge, hebben fietspaden.

Er valt dus best te fietsen door de stad. Wie zich zeker voelt in het verkeer, kan verrassend snel van de ene naar de andere kant van het centrum fietsen. Sneller dan auto, bus, trein of taxi. Maar het is opletten geblazen, assertief rijden, je plaats kennen, de ruimte nemen en accepteren dat je zo nu en dan wordt uitgescholden door een automobilist. Het wegdek is verder soms vooroorlogs. Maar wie dit alles op de koop toe neemt, heeft beslist plezier van een fiets.

## Routes

Er zijn een paar routes die leuk zijn om te fietsen. Een tochtje van Bondi naar La Perouse langs alle beroemde stranden van de oostelijke buitenwijken, is de moeite waard. Spectaculaire vergezichten, schuimende golven en overal plekjes voor koffie en taart of een duik in zee.

De tweede tocht is die over de zeven bruggen, met Harbour Bridge als hoogtepunt. En dan is er een fietsroute van het vliegveld naar het Olympisch Park in Homebush, aangelegd ter gelegenheid van de Olympische Spelen. In het Olympisch Park is een veelheid aan fietsroutes.

Veel stedelingen die even de benen willen strekken op de fiets, doen dat in het Centennial Park. Door het park loopt een cirkelvormige route van 3,8 km (eenrichtingsverkeer), waar de fiets even veel ruimte heeft als de auto. Let op de maximumsnelheid van 30 km/uur, maar volgens de verhalen sluiten de parkwachters de ogen voor de wielrenner die zo nodig sneller moet.

Belangrijke regel in Australië is links houden en helm op. En wie altijd al een keer op een heuse autosnelweg heeft willen fietsen: in Australië mag dat bijna altijd. Tja, goed uitkijken bij de op- en afritten.

## Huurfietsen

Fietsen zijn te huur. Bij het Centraal Station zit Cheeky Monkey. Dit bedrijf heeft zes mountainbikes. Een fiets met helm en slot kost 35 Au$ per dag en 150 Au$ per week. Sommige personeelsleden hebben het vak in Amsterdam geleerd en spreken dus een beetje Nederlands.

In Centennial Park, niet ver van Paddington Gate, verhuurt Centennial Park Cycles fietsen. Op mooie dagen zit de verhuurder in

*Sommige fietspaden zijn groen gekleurd.*

het park, anders moet je naar de winkel. Deze fietsen zijn per uur te huur (mountain bike 12 Au$, racefiets 20 Au$). Een dag mountainbike kost 32 dollar, een racefiets 55. Deze zaak heeft ook tandems. Over de prijs van een langere huur dan een dag kan worden onderhandeld. Wie lang in Sydney over een fiets wil beschikken, kan overwegen een tweedehandsje te kopen. Een voormalige huurfiets kost ruim 200 Au$, ongeveer even veel als twee weken huur. En daarna kun je er iemand gelukkig mee maken. Ook in het Olympisch Park zit een fietsverhuur. Ideaal om het park te verkennen. De prijzen zijn per uur 12 Au$, per dag 40 voor een mountainbike. De fietsen zijn te huur bij het bezoekerscentrum.

- Cheeky Monkey, 456 Pitt Street, tel. 9212 4460, www.cheekymonkey.com.au;
- Centennial Park Cycles, 50 Clovelly Road Randwick, tel. 9398 5027, www.cyclchire.com.au;
- Fietsverhuur Olympic Park, 1 Show ground Sydney Olympic Park of Australia Avenue Sydney Olympic Park, tel. 9714 7888, www.sydneyolympicpark.com.au.

## Tours
Bonza Bike Tours organiseert (prijzige) rondritten door de stad. Dat is gemakkelijk, want dan hoef je geen kaart te lezen, maar je zit wel in een groep. De Sydney Classic Tour kost 63 Au$ en die voert in een halve dag langs de hoogtepunten van het centrum. Een dagtocht vanuit Manly kost 112,50 Au$ en een fietstocht over de Harbour Bridge 90. Lunch en fiets inbegrepen. De fietstochten beginnen vanuit de parkeergarage van het Opera House.

- Bonza Bike Tours, parkeergarage Opera House, tel. 9331 1127, www.bonzabiketours.com.

# 9

# Over de brug en verder

De Sydney Harbour Bridge en de haven Port Jackson splijten de stad als het ware in tweeën. Het 'echte' Sydney ligt aan de zuidkant van het water; daar zijn het zakencentrum, het vertier, de hippe wijken en de musea. Het noorden van de stad is een uitgestrekt, heuvelachtig gebied met eindeloze woonwijken; weinig spectaculair. De meeste bezoekers wandelen even over de Harbour Bridge heen en terug, nemen de ferry naar Manly en terug of brengen een bezoekje aan de dierentuin die in het noordelijk deel van de stad ligt. En daarmee zijn de bezoekjes aan Noord-Sydney afgelopen. Maar voor wie het leuk vindt om af te wijken van de gebaande paden en een andere kant van Sydney wil leren kennen, is Noord-Sydney helemaal niet zo gek. Het is er vaak goed toeven met een serie prachtige stranden en mooie natuurparken.

## KIRRIBILLI

De twee mooiste huizen aan de noordkant van de haven zijn Kirribilli House en het Admiralty House, oude gebouwen die vanaf de pont naar Manly en vanaf het Opera House zichtbaar zijn.

### Kirribilli House

Kirribilli House (afgeleid van een Aboriginal woord voor 'goede visstek') ligt in de wijk met dezelfde naam en is het officiële woonhuis van de minister-president als hij in Sydney bivakkeert. Kirribilli House is in 1855 gebouwd in neogotische stijl. In 1920 kocht de regering het huis; in 1957 werd het de residentie van de minister-president in Sydney.

Het gebouw is niet te bezoeken. En dat is jammer, want de kamers bieden uitzicht op de Harbour Bridge en het Opera House. Een mooiere plek om te wonen is er haast niet. Dat vindt de eerste minister van Australië John Howard ook. Toen hij in 1996 premier werd, koos hij geheel in strijd met de traditie Kirribilli House als zijn vaste woonplek en niet de residentie in de hoofdstad Canberra. Deze beslissing deed bij veel mensen de wenkbrauwen fronsen.

◀ *Zicht op de Harbour Bridge vanuit Noord-Sydney* ▲ *Skyline CBD vanuit het noorden*

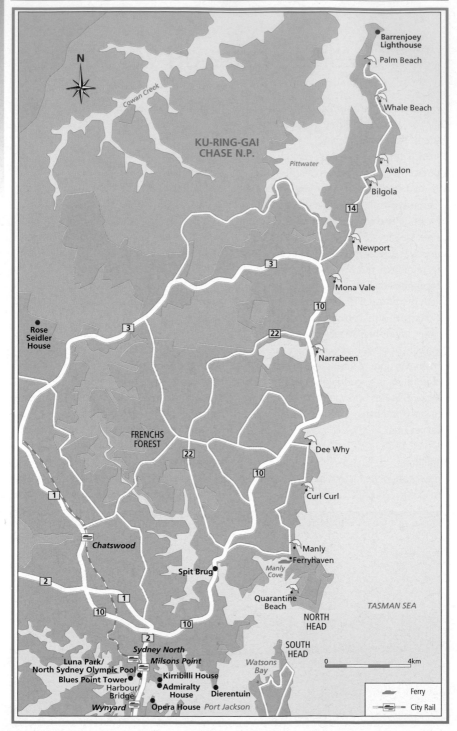

N

Barrenjoey
Lighthouse
Palm Beach

Whale Beach

KU-RING-GAI
CHASE N.P.

*Cowan Creek*

*Pittwater*

Avalon

Bilgola

14

Newport

3

Mona Vale

10

Rose
Seidler
House

3

22

Narrabeen

FRENCHS
FOREST

22

Dee Why

10

1

Curl Curl

*Chatswood*

2

1

Manly
Ferryhaven

*Spit Brug*

*Manly
Cove*

10

10

Quarantine
Beach

*TASMAN SEA*

NORTH
HEAD

2

SOUTH
HEAD

*Sydney North*

Luna Park/
North Sydney Olympic Pool
Blues Point Tower

*Milsons Point*

*Watsons
Bay*

Kirribilli House

Harbour
Bridge

Admiralty
House

Dierentuin

*Wynyard*

Opera House

*Port Jackson*

0                    4km

Ferry

City Rail

*Over de brug en verder*

*De overtocht naar Manly duurt een half uur.*

Het argument was dat hij dicht bij zijn familie wilde blijven. Howard komt uit Sydney en kon vanuit Sydney zijn zoon beter bijstaan toen hij op de universiteit studeerde.

Maar ook nadat zijn zoon was afgestudeerd, bleef Howard gewoon in Kirribilli wonen. Deze gang van zaken vinden veel inwoners van Melbourne maar niks. Volgens hen begint het erop te lijken dat Sydney de feitelijke hoofdstad wordt van Australië. Dat is in strijd met de afspraken die zijn gemaakt bij de beslissing om Canberra tot hoofdstad te bombarderen.

### Admiralty House

Het Admiralty House, uit 1843, is nu de residentie van de gouverneur-generaal als hij in Sydney is. De gouverneur-generaal is de vertegenwoordiger van het staatshoofd in Australië. Dit huis is een dag per jaar tijdens een officiële vrije dag te bezoeken, meestal ergens in oktober of november.

ⓘ ADMIRALTY HOUSE, 109 Kirribilli Avenue, tel. 9955 4095.

### MILSONS POINT

Aan de oever van de noordelijke stadshelft valt het **Luna Park** nog meer op dan de kapitale huizen in Kirribilli. Dit pretpark met de opvallende lachende zon heeft een roerige geschiedenis achter de rug.

Luna Park opende in de jaren dertig de deuren, nadat de bouwers van de Harbour Bridge deze opslagplaats voor bouwmaterialen hadden ontruimd. De afspraak was dat na voltooiing van de bouw de plek aan de bevolking van Sydney zou worden gegeven.

Een zakenman uit Melbourne kreeg een vergunning om de plek twintig jaar uit te baten met zijn Luna Park, naar een kopie van een park in New York. Daar staat al vanaf 1903 op Coney Island een soortgelijk park. Melbourne heeft sinds 1912 een amusementspark onder die naam. In Sydney ging Luna Park eind jaren dertig open. De plek leek te mooi voor zoiets gewoons als een draaimolen of een reuzenrad. Speculanten keken met begerige ogen naar de plek aan het water. Hoge flats, dure appar-

# WALVISKIJKEN

*Walvis kijken. Informatiebord en platform bij Cape Solander in het Botany Bay National Park*

Het is niet het eerste waar je aan denkt als je in een grote stad bent, maar als je in de juiste periode naar Sydney reist, kun je een walvis door de Tasmanzee zien zwemmen. De dieren trekken in de periode eind mei tot eind juli, in de winter dus, van het koude water rond Antarctica naar de iets noordelijk gelegen gebieden waar het warmer is. De piek ligt rond 20 juni. Voor de kust van Queensland planten ze zich voort en trekken dan in het Australische voorjaar weer naar het zuiden. Daarna volgen ze een koers verder in zee en zijn ze vanaf het vasteland niet te zien.

In de zee hier trekt de *humback whale* rond, een walvis die in het Nederlands als bultrug door het leven gaat. Daarnaast is er de *southern right whale* te zien, die in het Nederlands de noordkaper heet. Daarvan zijn er twee varianten: eentje die op het noordelijk halfrond leeft en eentje op het zuidelijk halfrond.

De dieren zwemmen in juni dicht langs de kust en een heel enkele keer waagt een dier zich in de haven van Sydney. In 2002 verscheen een walvis bij de Harbour Bridge, wat tot ongekende taferelen leidde.

Uiteraard springen de touroperators in op de trek van de grote zeezoogdieren. Vanuit Sydney organiseren drie touroperators tochten naar de walvissen, veelal duren ze een halve dag. Reken op circa 100 dollar per persoon, meestal is er een consumptie bij inbegrepen. Neem vooral iets warms mee, want het kan fris zijn op zee in juni.

Het slimst is om te informeren of er al walvissen zijn gesignaleerd. Dat kan op de website of via de telefoon. Veelal is er een 'walvisgarantie'. Als de dieren zich onverhoopt niet laten zien, mag je de volgende dag voor niks nog een keer mee.

De touroperators zijn:
- *Bas en Flinderscruise*, tel. 9583 1199, www.whalewatchingsydney.net;
- *Bianca Charters*, tel. 9525 1667, www.users.bigpond.com/biancacharters;
- *Spirit Sailing Company*, tel. 9878 0300, www.austspiritsailingco.com.au.

Maar je hoeft natuurlijk niet de zee op om de dieren te zien. Volgens de kenners zijn er rond Sydney prima plekken om de walvissen te bekijken. De toegang is veelal gratis of er wordt een kleine entree gevraagd om het nationaal park binnen te mogen. Op sommige plaatsen verzamelen zich in het weekeinde wel 1000 mensen om tientallen dieren te zien passeren.

De beste plekken zijn de South Head in Watsons Bay, de North Head in Manly, de Long Reef, het Ben Buckler's Point in Bondi (dit is de noordelijke rots) en Barrenjoey Lighthouse op de noordelijke stranden. Iets verder uit de stad biedt Cape Solander in het Botany Bay National Park een geweldige mogelijkheid om de dieren te bekijken, maar die plek is zonder eigen vervoer moeilijk te bereiken.

tementen en andere uitingen van de moderne economie, zouden heel wat meer geld in het laatje brengen dan een permanente kermis. Met het amusement ging het minder goed en een brand in de spooktrein in 1979 leek de genadeklap voor het park. Luna Park moest dicht.

Voorgesteld werd een complex met de nodige hoge flats te bouwen, maar dat plan stuitte bij steeds meer Sydneysiders op verzet. Protesten volgden en in 1989 kwam de belofte dat er in ieder geval geen hoogbouw zou komen op de plek. De lokale overheid nam de verantwoordelijkheid, vormde een stichting en in 1992 begon de reconstructie van het pretpark. Na de opening ging het weer fout, want een achtbaan (de *big dipper*) moest dicht na klachten van omwonenden. De baan maakte te veel herrie. Die attractie verhuisde naar Queensland en op het Luna Park kwam wat anders.

Sinds 2004 lijkt het goed te gaan met het park. Het is weer in *full swing* en trekt veel bezoek. De toegang is vrij, de attracties kosten geld. Het park biedt amusement uit een andere tijd, hoe anders de organisatoren ook willen doen geloven. Maar de ligging aan het water en het uitzicht op de stad maken veel goed en een wandeling over het Luna Park is een leuke afronding van een wandeling over de brug. Er vaart een ferry terug naar Circular Quay.

ⓘ LUNA PARK, 1 Olympic Drive, Milsons Point, tel. 9033 7676, www.lunaparksydney.com. Geopend: ma. en do. 11–18, vr. 11–23, za. 10–23, zo. 10–18 uur. In de zomer en in vakanties gelden ruimere openingstijden.

Vlak bij het park ligt het beroemde zwembad de **North Sydney Olympic Pool** (□ pp. 96-97).

## Blues Point Tower

Opvallend op deze plek van de stad is een witte wolkenkrabber, ontworpen door de beroemdste hedendaagse architect van Sydney, Harry Seidler (□ p. 20). Deze Blues Point Tower is in 1961 opgeleverd en was destijds het hoogste woongebouw in Sydney. Het telt 25 verdiepingen met 144 appartementen. De topverdieping was bedoeld als wasruimte voor de bewoners; mooier de was doen, kon in die jaren niet. Het is nu een bijzonder dakappartement. De witte toren is door velen verguisd, omdat het gebouw de ruimte langs de haven verstoort. De mensen die er wonen zijn echter uiterst tevreden over hun woonstek. Elk appartement heeft uitzicht over het water en op oudjaar is ineens iedereen je vriend, omdat je dan ongestoord kunt genieten van het vuurwerk. Er hangt wel een prijskaartje aan. Om een idee te geven: een driekamerappartement met uitzicht op Opera House deed in 2006 tussen 1 en 1,5 miljoen Au$. Hier woont dus alleen de happy few.

## DIERENTUIN

Een bezoek aan de noordkant van de stad is niet af zonder een bezoekje aan de dierentuin, het **Taronga Zoological Park.** De fraai gelegen dierentuin ligt op een uur wandelen van de noordkant van de brug, maar is ook direct per ferry bereikbaar vanaf Circular Quay. Bij het vertrekpunt van de veerboot is een combikaartje voor de vaartocht en toegang tot de dierentuin te koop. Dat kaartje is ook geldig voor de kabelbaan. De dierentuin is vanaf het Opera House goed te lokaliseren door de kabelbaan in het park, die de bezoekers een klim langs de rotsen bespaart.

De eerste dierentuin in Sydney was in Moore Park, niet ver van het Centennial Park. Deze tuin opende in 1888 zijn deuren. In 1908 bracht de directeur, Albert Sherbourne Le Souef, een bezoek aan een dierentuin in Hamburg en hij werd geïnspireerd door het concept van de tralieloze zoo. Dat kon niet in het krappe Moore

*In de Taronga Zoo valt natuurlijk de koala te bewonderen. Maar een koala aanraken is er niet meer bij.*

landse inbreng: er leven enige apen die afkomstig zijn van de Apenheul, het dierenpark in Apeldoorn.

🛈 TARONGA ZOOLOGICAL PARK, Bradleys Head Road, Mosman, tel. 9969 2777, www.zoo.nsw.gov.au. Geopend: dag. 9–17 uur; volwassenen 32 Au$, kinderen 17,50 Au$.

## MANLY

Net zoals in het zuiden van de stad liggen ook aan de noordkant enige aantrekkelijke stranden. Het eerste strand is dat van Manly, een strand dat Bondi de loef wil afsteken en veel toeristen trekt, zeker vanwege de bijzondere overtocht met de ferry vanaf Circular Quay. 'Zeven mijl van Sydney, duizend mijl weg van zorgen,' prijst Manly zichzelf aan. Het is een leuze uit de jaren zestig, toen Australië nog in mijlen dacht.

Park en in 1916 verhuisden de dieren naar de noordkant van de haven in Taronga, waar veel meer ruimte was. Sinds die tijd is het complex steeds uitgebreid. Speciale aandacht is er voor de Australische fauna. Er is ook een ruime collectie 'gewone' dierentuindieren, zoals olifanten, giraffes en leeuwen.

Een bezoek aan een gemiddelde dierentuin stemt niet altijd vrolijk, omdat de dieren in soms krappe kooien hun leven moeten slijten. In Taronga valt dat wel mee. Wie in Australië alleen Sydney aandoet en toch een levende kangoeroe of een koala wil zien, moet toch echt even naar Taronga. De dierentuin is ook voor volwassenen een geliefde bestemming, want deze plek biedt een magnifiek uitzicht over de stad. Het park heeft ook een Neder-

De boottocht mag niemand overslaan. Neem de langzame ferry die een halfuur nodig heeft voor de overtocht en niet de duurdere Jet Cat die de ruim 10 km in een kwartiertje overbrugt. De naam Manly is gegeven door de eerste gouverneur, die vond dat de Aborigines in dit gebied er erg *manly* (manmoedig) uitzagen. Een wandeling door deze wijk is leuk, maar niet heel bijzonder. Vanaf de haven waar de ferry's aanleggen, is het een korte wandeling over de autovrije Corso naar het oceaanstrand. Volg de stroom mensen; iedereen wandelt via deze route naar het strand. De naam Corso is afkomstig uit Italië en verraadt iets van de Italiaanse connectie van deze buurt. Manly biedt wat toeristische attracties, zoals **Oceanworld Manly.** Maar wie naar een aquarium wil, kan beter naar het grote aquarium in Darling Harbour gaan. In Manly bestaat de mogelijkheid om met

# NOG MEER DIERENTUINEN

*Kangoeroe in dierentuin*

*Een kangoeroe knuffelen*

Sydney kent een park dat is gebouwd rond het nationale knuffeldier van Australië: **Koala Park**. Het park is eind jaren twintig geopend door enthousiastelingen die het diertje voor uitsterven wilden behoeden. In de jaren twintig was er een grote export van huiden van de koala's. De staartloze boombewoner werd met uitsterven bedreigd.

Zo ver is het niet gekomen, maar het Koala Park is er nog. Behalve koala's zijn er ook andere Australische dieren te zien, zoals kangoeroes, wombats, papegaaien en dingo's. Deze dierentuin is veel traditioneler dan zijn grote broertje in de stad. Het park is met veel liefde opgezet, maar is eigenlijk uit de tijd. Maar wie een koala wil knuffelen (*cuddle a koala*) kan hier terecht.

De koala is anders dan de kangoeroe geen dier dat uitblinkt door activiteit. Hij zit vele uren op een tak in de boom en doet zich tegoed aan de bladeren van de eucalyptusboom. Deze verteren niet gemakkelijk en het beest zit vele uren voor zich uit te staren en doet ogenschijnlijk niks. Zo'n twee uur per dag is hij actief. Een koala ziet er aaibaar uit, maar hij kan knap chagrijnig uit de hoek komen.

Het park is een half uurtje rijden uit de stad. Neem de trein naar Pennant Hills Station op de lijn naar Hornsby via Strathfield. Neem dan bus 651 of 655 (10 minuten) naar het park.

● Koala Park, 84 Castle Hill Road, West Pennant Hills, tel. 9484 3141, www.koalapark-sanctuary.com.au. Geopend: dag. 9–17 uur; volwassenen 19 Au$, kinderen 9 Au$.

In het westen van de stad is verder het **Featherdale Wildlife Park,** waar de nodige Australische dieren kunnen worden gevoerd en geknuffeld. Dit park ligt in het westen bij het station Blacktown op de lijn naar Penrith.

● Featherdale Wildlife Park, Kildara Road, Doonside, tel. 9622 1644, www.featherdale.com.au. Geopend: dag. 9–17 uur. Volwassenen 19,00 Au$, kinderen 9,50 Au$.

*De ferry naar Manly*

gen. Er zijn twee mooie tochten te maken.

Via een wandeling van ongeveer 6 km door het **Sydney Harbour National Park** is de kaap aan de noordelijke ingang van de haven te bereiken. De wandeling begint op de Corso en voert langs het Manly Hospital het gebied in over de North Head Scenic Drive. Het is even doorstappen, maar dat wordt beloond met een mooi uitzicht vanaf de North Head. Het gebied in het midden van het park is een militaire zone, wat de aanwezigheid van het **National Artillery Museum** verklaart langs de weg naar North Head.

### Quarantine Beach

Op dit schiereiland ligt ook het Quarantine Beach. In 1832 verrees hier een medisch centrum, waar alle aangekomen emigranten werden onderzocht op besmettelijke ziektes, zoals pokken, tbc, pest en cholera. Als er iemand ziek was, bleven schip en passagiers minimaal 30 dagen in quarantaine. De mensen moesten veelal onder erbarmelijke omstandigheden wachten tot ze verder konden. Velen haalden in het zicht van de haven het beloofde land niet en werden anoniem begraven op het kerkhof bij het strand. De plek is tot 1984 als quarantainestation gebruikt, er stonden toen bijna 55 gebouwen. Nu worden reizigers die ziek in Sydney arriveren in de quarantaineafdeling van een ziekenhuis behandeld.

Deze plek is alleen met een speciale excursie van de National Park And Wildlife Service te bezoeken. Deze organisatie heeft een hotelketen in de arm genomen

een duikuitrusting in een bak met een haai te zakken, reserveren verplicht. Achter dit aquarium ligt **Manly Waterworks,** een waterpretpark met enorme glijbanen en andere leuke dingen, vooral voor kinderen.

ⓘ OCEANWORLD, West Esplanade, tel. 8251 7877, www.oceanworld.com.au. Geopend: dag. 10–17.30 uur.

WATERWORKS, West Esplanade, tel. 9949 1088, www.manlywaterworks.com. Geopend: sept.–apr. za. en zo. en schoolvakanties 10–17 uur.

### North Head

Bezoekers kunnen in Manly surfles nemen of een kajak huren. Maar bijzonder zijn vooral, behalve het zwemmen in zee en het luieren op het strand, de wandelin-

om het gebied open te gooien voor het toerisme. De gebouwen blijven staan, maar er moet een nieuw bezoekerscentrum komen, zodat het beruchte strand een attractie wordt die kan wedijveren met Hyde Park Barracks. Uiteraard kan er te zijner tijd tegen betaling een rondleiding worden gedaan. Ook komen er een restaurant, een spa en een hotel, maar de plek blijft zoveel mogelijk als die is. Dus geen jachthaven en geen hoogbouw, zo heeft de nieuwe exploitant moeten beloven. De vegetatie wordt wel flink teruggesnoeid om alles eruit te laten zien, zoals het was in de laatste jaren als quarantainestation. Volgens de plannen moet de verbouwing in 2008 klaar zijn. Maar check de website of het echt al zo ver is, want er zijn veel tegenstanders van het project die vrezen dat deze historische plek te grabbel wordt gegooid. Wie weet wordt het plan nog afgeblazen.

*Terras in Noord-Sydney*

Let tijdens de wandelingen op de pinguïns die in het gebied leven. Bij Manly en ook op Quarantine Beach wonen de enige pinguïns op het vasteland van New South Wales. Het zijn dwergpinguïns, de kleinste soort ter wereld die ook aan de kust van Victoria leeft. Tijdens de wandeling kan ook een voor het gebied vrij zeldzaam buideldier opduiken: de bandicoot. Het beest is zo groot als een forse rat en springt net als een kangoeroe, maar het is geen naaste familie van dat dier.

ⓘ NORTH HEAD, NSW National Park and Wildlife Service, tel. 9247 5033, www.nationalpark.nsw.gov.

EXPLOITANT QUARANTAINE STATION, tel. 9437 0277, www.q-station.com.au.

## Manly Scenic Walkway

De tweede wandeling is een klassieke in Sydney: de **Manly Scenic Walkway**. Dit pad voert langs de kustlijn van de haven door een spectaculair landschap richting de Harbour Bridge. De wandelaar komt langs makkelijke stukken en moet soms stevig klauteren langs rotsen. Op sommige plaatsen staat er nog vegetatie die niet is veranderd sinds de komst van de Eerste Vloot. Je vindt hier ook een archeologische Aboriginal site langs de route. Archeologen vonden hier een laag met schelpen, waarin de Aborigines die in dit gebied woonden, voedselresten hebben achtergelaten.

*Het Rose Seidler House wordt beschouwd als het modernste huis van Australië.*

De wandeling eindigt bij de Spitbrug, vanwaaruit bussen in twintig minuten terugrijden naar Manly. Reken voor de wandeling van 10 km op een uur of vier en neem wat te eten en drinken mee. Er is geen café langs de route, maar wie even de route verlaat en een woonwijk inwandelt, zal niet al te veel moeite hebben om iets te vinden. Bij de toeristenbureaus in Sydney en Manly is een folder met de route van de wandeling te krijgen.

Wie nog adem over heeft, kan met een goede kaart in de hand de wandeling vervolgen tot de Harbour Bridge. Wie de kustlijn consequent volgt, verlengt de wandeling nog met een paar uur. Onderweg, onder meer bij de dierentuin, zijn er een paar opstappunten voor de ferry naar Circular Quay.

## NOORDELIJKE STRANDEN

Manly is het eerste van de noordelijke stranden van Sydney en wie verder naar het noorden gaat, komt nog een tiental grote stranden tegen die allemaal even mooi en allemaal even uitnodigend zijn voor een wandeling over de boulevard of een kopje koffie op een terrasje. Populair zijn Curl Curl, Dee Why, Narrabeen (een beetje Zandvoort-achtig strand), Mona Vale, Bilgola, Avalon en Whale Beach. De meeste stranden lijken een beetje op elkaar, maar Bilgola is anders, omdat daar geen boulevard is. De dichte vegetatie reikt tot bijna aan het strand. En op Whale Beach kan er op de juiste tijd naar walvissen worden getuurd (⬚ p. 154).

Sydney eindigt, om het zo maar te zeggen, op het schiereiland bij **Palm Beach**, een nogal geïsoleerde en uiterst welgestelde wijk van Sydney. Van hieruit gaan voetveren naar het nabijgelegen Ku-ring-gai Chase National Park (zie p. 173) of naar de volgende stad Gosford. Er valt een wandeling (veel klimmen) te maken naar het puntje van het schiereiland, waar de **Barrenjoey Lighthouse** staat. Dit is de derde vuurtoren op het vasteland van Australië. Al vanaf 1855 wordt op deze plaats een vuur brandend gehouden. De huidige vuurtoren stamt uit 1861. Deze vuurtoren (113 m boven zee) geeft vier keer per twintig seconden licht. De naam is een Aboriginal benaming voor een kleine kangoeroe of walibi.

De plek biedt een mooi uitzicht over de Broken Bay, feitelijk de monding van de Hawkesbury River die in de Blue Mountains ontspringt. Deze rivier vormt de noordgrens van Sydney. De vuurtoren is elke zondag tussen 11 en 15 uur te bezichtigen. Reserveren hoeft niet, melden bij het vuurtorenwachtershuisje.

**ⓘ** BARRENJOEY LIGHTHOUSE, tel. 9472 9300, www.nationalparks.nsw.gov.au.

### VERDER IN HET NOORDEN VAN DE STAD

Het noorden kent vele (saaie) woonwijken met als enige hoogtepunt het **Rose Seidler House**, gebouwd door de beroemde architect Seidler (📖 p. 20). Hij ontwierp eind jaren veertig een huis voor zijn ouders en dit wordt beschouwd als het modernste huis van Australië. Het kan wat ontwerp betreft nog steeds mee. Dit huis valt elke zondag te bezoeken, maar het is ver vanuit de stad en het openbaar vervoer erheen laat te wensen over.

**ⓘ** ROSE SEIDLER HOUSE, 71 Clissold Road, Wahroonga, tel. 9989 8020, www.hht.net.au. Geopend: zo. 10–17 uur; volwassenen 8 Au$, kinderen 4 Au$

Wie heel wanhopig op zoek is naar iets ouds in dit deel van de stad, kan altijd naar het **Don Bank Museum** gaan, een klein museum in een oud houten gebouw. Er valt te zien hoe de bewoners in vroegere tijden hier leefden.

**ⓘ** DON BANK MUSEUM, 6 Napier Street, North Sydney, tel. 9936 8400. Geopend: zo. 13–16 uur.

# En verder in Australië

Sydney is zonder twijfel één van de hoogtepunten van een vakantie in Australië. Maar het continent heeft meer te bieden. Veel meer. De reiziger die na Sydney tijd (en geld) over heeft om meer te zien van het land, moet goed kiezen. Wie onder het motto *see-Australia-in-one-week* gaat rondtrekken, komt bedrogen uit. Het land is domweg te groot om even snel van A naar B te reizen.

Hier geven we drie mogelijkheden om het verblijf in Sydney met een verre excursie uit te breiden. Voor alle mogelijkheden geldt: neem ongeveer een week de tijd om te reizen, te kijken en rustig te genieten.

## Cairns en het tropische noorden

Zeewater zo gerieflijk als een warm bad. Prachtig gekleurde koraalriffen en tropische vissen die met duizenden om je heen zwemmen. Verblindend witte stranden. Woest tropisch regenwoud. Het noorden van de deelstaat Queensland heeft het allemaal. Geen wonder dat vele honderdduizenden toeristen het vliegtuig naar de toeristenplaats Cairns nemen. Hier ligt het wereldberoemde *Great Barrier Reef*, het grootste koraalstelsel ter wereld met zijn 2000 eilanden.

Cairns (www.cairnsinfo.com) is allesbehalve een schilderachtig plaatsje. Daarvoor is de stad een te grote toeristenindustrie. Maar Cairns is wel handig als uitvalsbasis om zee en land verder te ontdekken. Hier kun je in een paar dagen je duikbrevet halen en de wondere wereld van het diepzeeduiken betreden. Boten brengen je naar plaatsen op zee, waar je eindeloos kunt snorkelen.

De beste tijd om naar Cairns te reizen is van juni tot september. Dan is het droog en de temperaturen zijn overdag gemiddeld 25 graden. En de gevaarlijke kwallen houden zich schuil.

Er gaan elke dag diverse vluchten van Sydney naar Cairns: van Qantas, Virgin Blue en JetStar. Hoe eerder je boekt, hoe goedkoper de vlucht van 3 uur is.

*De Twaalf Apostelen langs de Great Ocean Road*

*De heilige rode berg Uluru*

's nachts vriezen, maar met dekens en een goede slaapzak is daar makkelijk overheen te komen. Qantas heeft elke dag directe vluchten van Sydney naar Alice Springs (ruim drie uur).

## Melbourne en Great Ocean Road

Tussen Sydney en Melbourne bestaat

### Het rode hart met Uluru (Ayers Rock)

Een bezoek aan Australië is pas compleet als het rode hart van het land is bezocht. In het midden van de *outback* van Australië, daar waar het landschap droog, rood en godvergeten verlaten is, ligt een berg die even bekend is als het Sydney Opera House. Ayers Rock dus, of zoals tegenwoordig de naam luidt: Uluru (met de klemtoon op de laatste u). De 863 m hoge, rode monoliet staat op de Werelderfgoedlijst van de Verenigde Naties en is volgens de Aborigines een heilige berg (www.deh.gov.au/parks/uluru).

Uluru maakt onderdeel uit van het Kata Tjuta National Park, een natuurpark dat eigendom is van de Aborigines. Op 20 km afstand van de berg hebben de autoriteiten een comfortabel toeristenoord gebouwd (Yulara), inclusief hotels, een camping, cafés, restaurants en een winkelcentrum. Het toeristendorp heeft een eigen vliegveld, want veel toeristen komen met dagtripjes uit het 500 km verderop gelegen Alice Springs.

Behalve Uluru, zijn ook de 36 monolieten van Kata Tjuta (The Olgas) 50 km verderop meer dan bijzonder. Het rode hart is het beste te bezoeken in de Australische winter (juni tot september). Overdag is het dan niet te heet om te wandelen (25 graden). Het kan

een rivaliteit die te vergelijken is met die tussen Amsterdam en Rotterdam. De tweede stad van Australië is misschien wat minder kosmopolitisch en dynamisch als Sydney, veel toeristen ervaren Melbourne als vriendelijker en meer Europees. Melbourne (www.visitvictoria.com) is dus absoluut de moeite waard om te bezoeken.

Een stedentrip Melbourne is goed te combineren met een tocht over de *Great Ocean Road* (www.greatoceanrd.org.au). Dat is een kustweg die in de jaren dertig als werkloosheidsproject is aangelegd en is uitgegroeid tot een van de topattracties van Australië. De kustweg slingert zich van Geelong naar Warrnambool met vaak prachtig uitzicht over de oceaan. Onderweg valt er van alles te bekijken. De Twelve Apostles, grillige rotsformaties in zee, zijn het beroemdst. In 2005 is een van de rotsen ingestort, zodat het getal van twaalf niet meer accuraat is.

Van Sydney gaat er dagelijks praktisch elk halfuur een vlucht naar Melbourne. De gemiddelde prijs voor een enkeltje ligt rond de 100 dollar. Met de trein kan ook, de reis duurt dan ongeveer 12 uur.

Voor meer informatie over deze en andere bestemmingen in Australië, zie de Australië-reisgids van Dominicus.

# De stad uit, de natuur in

Er komt misschien een moment dat je genoeg hebt van de dynamiek van de stad. Hoe fascinerend Sydney ook is, dan krijg je behoefte aan rust, ruimte en natuur. Gelukkig zijn die niet moeilijk te vinden rond Sydney. De stad is namelijk omgeven door nationale parken. Het zijn veelal uitgestrekte gebieden van ongerepte natuur, waar de kans om wild te zien groot is. De vegetatie bestaat uit eucalyptusbomen in alle vormen en maten en naaldbomen. Veelal worden de parken doorsneden door diepe valleien. Natuurliefhebbers worden dus op hun wenken bediend. En ook wijnliefhebbers komen aan hun trekken in de Hunter Valley. De stad uit, de natuur in: over de charmes en verlokkingen van de omgeving van Sydney.

## DE BLUE MOUNTAINS

De Blue Mountains zijn zonder twijfel het mooiste nationale park in de buurt van Sydney. Ze danken hun naam aan de blauwe gloed die ontstaat, doordat de zonnestralen breken op de oliedruppeltjes die de eucalyptusbomen afscheiden. Deze kleur is de ene dag beter waarneembaar dan de andere. Maar met wat fantasie waan je je in een blauwe wereld, zeker op een dag met een lage zon en wat vocht in de lucht. Een bezoeker beleeft dit gebergte heel anders dan een Europees bergland. Daar kijk je veelal vanuit de dalen naar de toppen. In de Blue Mountains reis je eerst naar de toppen van de bergen om dan de dalen in te kijken. De Blue Mountains zijn een oud gebergte. Toen de Grand Canyon in de VS een paar centimeter diep was, was het

◀ *De Blue Mountains zijn een geliefd wandelgebied* ▲ *In de Blue Mountains*

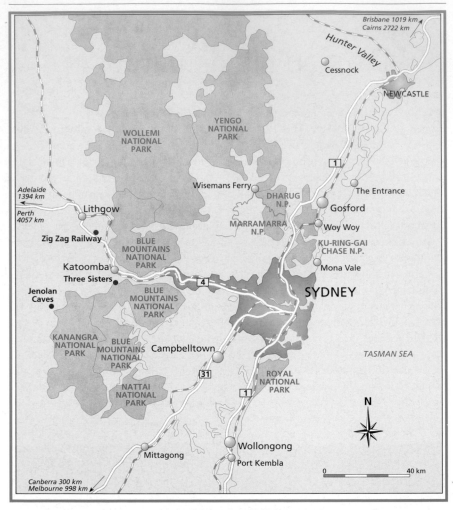

*De nationale parken rond Sydney*

landschap hier al gevormd. De bergen liggen in coma, geologisch gezien dan. Voor de eerste Europeanen waren de bossen met hun steile kliffen zo goed als ondoordringbaar. Het duurde lang, voordat de kolonisten er eindelijk in slaagden het gebied te doorkruisen.

Nu is het gebied aan de westkant van Sydney een groot nationaal park. Beter gezegd: een aaneenschakeling van parken die samen zo groot zijn als België.

## Three Sisters

Vanaf het station in de plaats Katoomba is het een halfuur lopen naar de topattractie van de Blue Mountains, de Three Sisters: spitse rotspunten die 922, 918 en 906 m boven het zeeniveau uitsteken. Vanaf de grote parkeerplaats Echo Point zijn de drie rotspunten te bekijken. Enthousiastelingen kunnen langs de rotspunten wandelen naar de bodem van de vallei.

De Three Sisters hebben hun naam gekregen uit de Dreaming van de Aborigines. Het waren Meenhi, Wimlah en Gunnedoo

## GEVAARLIJKE DIEREN

Australië is een extreem continent: droog, dor en heet. Alleen de heel sterke organismen kunnen overleven. Dat is dus ook het geval in de dierenwereld. Die bestaat uit een verzameling ongelooflijk giftige dieren. Van de tien giftigste slangen ter wereld, leven er negen in Australië. Over spinnen valt hetzelfde verhaal te vertellen en in de zee drijft en zwemt een keur aan heel vervelende beesten.

Meestal houdt dit soort wilde dieren zich op in natuurgebieden, ver weg van de stad, maar dat is nu niet helemaal waar. Ook in sommige keukenkastjes van Sydneysiders zitten slangen en in rottend hout in de tuin huizen spinnen.

*De meest giftige slangen en spinnen ter wereld leven in Australië. Sommige zijn ook in Sydney te vinden.*

Hierover zijn genoeg griezelverhalen te vertellen, maar echt raak is het zelden. Als iemand een slang ziet, is het meestal een ongevaarlijk exemplaar en de meeste spinnen, hoewel met enorme harige poten, doen ook niemand kwaad.

En dan de zee. Ja, er zitten haaien voor de kust van Sydney. Zo nu en dan is er een zwemmer het slachtoffer, hoewel ook dit zelden voorkomt. De meeste stranden in Sydney hebben haaiennetten die de kans verkleinen dat een haai een mens tegenkomt.

De gevaarlijke kwal *box jelly fish* zit niet in de buurt van Sydney. Dat dier overleeft als het water warmer is dan 27 graden en dat is alleen 's zomers in het tropische deel van Australië. De kans om door een slang, spin of haai gedood te worden in Sydney is al met al vele malen kleiner dan geschept te worden door een auto. En over het krankzinnige autoverkeer lijkt niemand zich echt druk te maken.

die in de Jamisonvallei woonden en lid waren van de Katoomba-stam. Deze drie prachtige vrouwen waren verliefd op drie broers van de Nepean-stam aan de andere kant van de berg. Helaas, strenge wetten van de stam maakten trouwen onmogelijk. Dus besloten de broers de vrouwen met geweld naar hun stam te halen.

De tovenaar van de Katoomba-stam voorzag het naderende onheil en hij veranderde de drie zussen in enorme stenen pilaren om ze te beschermen voor onheil. Nadat het gevaar was geweken, sloeg het noodlot toe: de tovenaar stierf. Hij, en alleen hij, kon de vrouwen weer tot leven wekken. De vrouwen bleven dus als machtige rotspilaren achter. Bij het bezoekerscentrum herinnert een standbeeld van drie vrouwen aan dit Aboriginal verhaal.

Rond de Three Sisters is het een toeristencircus geworden. Er is een groot gebouw neergezet met een gondel en een kabelbaan. Alles is een beetje te veel van het goede. De kabelbaan brengt de bezoekers naar de bodem van de vallei. Beneden kan dan over een wandelpad van 2 km het dichte regenwoud worden ontdekt. De gondel glijdt praktisch horizontaal over de vallei en biedt de inzittenden een ongehinderd uitzicht op de Three Sisters. Voor de mensen buiten is de gondel een hinderlijke onderbreking van het uitzicht. Het geheel is een schoolvoorbeeld van hoe de commercie de natuur kan verpesten.

En dan is er nog een trein, die over het spoor rijdt van de oude kolentrein. Katoomba werd opgericht om kolen te delven in het gebied. Deze **Scenic Railway** is volgens organisator *Scenic World* de steilste spoorlijn ter wereld. Deze attractie past

reuzentrap begon in 1901 en was pas in 1927 klaar.
Beneden leidt de Federal Pass door het regenwoud naar een punt met uitzicht op de waterval van Katoomba Falls. Nog een kwartier verder is het stationnetje van de Scenic Railway die terugrijdt naar boven (elke tien minuten tot 16.50 uur). Ook kan de kabelbaan naar boven worden genomen.
Mensen met voldoende energie wandelen over de Futher Steps weer naar boven met voortdurend uitzicht op de vallei. Het laatste stuk naar Echo Point gaat over de gemakkelijke Prince Henry Cliff Walk. De wandeling is niet echt aan te bevelen voor mensen met hartproblemen of hoogtevrees. Reken drie tot vier uur voor de wandeling van 7 km. Informatie kun je halen bij het Echo Point Information Centre bij het begin van de wandeling (tel. 1300 653408).

beter in het landschap van de Blue Mountains en is de leukste van de drie attracties om te doen. De trein kan worden gecombineerd met de kabelbaan.

ℹ️ SCENIC WORLD BLUE MOUNTAINS, Cliff Drive, hoek Violet Street, tel. 4782 2699, www.scenic-world.com.au. Enkele reis naar attracties is 8 Au$, retour is het dubbele, kinderen half geld.

Vanaf de parkeerplaats bij de Three Sisters begint een van de meest favoriete wandelingen in de regio. De wandeling voert van het Informatiecentrum bij Echo Point naar beneden over de Giant Stairways. Dit deel van de tocht is nog gemakkelijk, omdat er over 861 treden wordt afgedaald. Halverwege de trap loopt de Honeymoon Bridge, waarover de eerste van de Three Sisters is te bereiken. De aanleg van de

Er is meer toeristenpret. Om Katoomba loopt een toeristische route (te doen met de auto) langs alle belangrijke punten in de omgeving van Katoomba.
Vlak bij het treinstation Katoomba is een openluchtbioscoop met een scherm van ongeveer 18 m hoog, **The Edge** genaamd. Daarop wordt een 38 minuten durende film vertoond over de Blue Mountains met alle hoogtepunten van het gebied op een rij. Je kunt er ook gewone films zien.

ℹ️ EDGE CINEMA, 225 Great Western Highway, Katoomba, tel. 4782 8900; toegang 14,50 Au$, kinderen 9,90 Au$.

## Leura

Het dorpje Leura, een paar kilometer ten oosten van Katoomba, is een rustiek oud plaatsje met veel alternatieve winkels. In een van de oudste huizen (gebouwd in 1914) is het **Speelgoed en Spoormuseum** gevestigd. Altijd leuk om te doen met kinderen. Er is veel speelgoed uit vervlogen tijden (Kuifje). Hoogtepunt is de collectie speelgoedtreinen van merken als Märklin. In de tuin is een spoorlijn aangelegd in 'Europees' aandoend landschap. Belangrijke blikvanger is de 6 m hoge replica van de Matterhorn in Zwitserland.

ℹ️ TOY AND RAILWAY MUSEUM, 36 Olympian Parade, Leura, tel. 4784 1169, www.toyandrailwaymuseum.com.au. Geopend: dag. 10–17 uur; toegang 12 Au$ voor volwassenen en 6 Au$ voor kinderen.

*Uitzicht in de Blue Mountains*

De Blue Mountains zijn er vooral om te wandelen, te wandelen en nog eens te wandelen. Het aantal mogelijkheden is onbeperkt. Zo'n 11 km na Katoomba, ook bereikbaar per trein, ligt **Blackheath**. Vanaf het station is het een uur wandelen, er loopt een wandelpad door dicht natuurlijk bos naar de Govetts Lookout. Het uitzicht stelt niet teleur. De terugweg naar het dorpje kan over asfalt worden afgelegd. Een andere aanrader is **Wentworh Falls,** 8 km voor Katoomba. De wandeling naar de Wentworth Falls en terug vanaf de Valley of the Waters parkeerplaats is mooi. Het is hier vaak minder druk dan bij de Three Sisters.

Let wel op, de wandelingen in de Blue Mountains gaan meestal eerst naar beneden en dan weer naar boven. Overschat jezelf niet. Alleen bij Katoomba staat er een treintje om je naar boven te brengen. Elders zul je het zelf moeten doen.

### De Zigzagspoorlijn

Wie na Katoomba verder naar het westen rijdt, komt bij een bijzonder stukje spoorwegtechniek: de Zigzagspoorlijn. Het station Clarence ligt aan het begin van het tracé, op ongeveer 50 km ten westen van Katoomba.

Het kostte de pioniers destijds veel moeite om het gebied open te leggen. Dat kwam

*Bloemenpracht in de Blue Mountains*

door de overal opduikende steile bergwanden. Vooral de tocht naar het westen vanaf de top was ingewikkeld. Het aanleggen van een spoorlijn was nog veel moeilijker. De Zigzagspoorlijn is aangelegd tussen 1866 en 1869 en werd gezien als een huzarenstukje van het victoriaanse tijdperk. De keuze bestond uit het graven van een lange tunnel of de aanleg van een lijn met twee haarspeldbochten, waardoor het tracé op een afstand bezien de vorm heeft van de letter z. Voor het laatste is destijds gekozen.

In de twee punten van de z zijn stations, waar de trein als het ware keert. De locomotief wordt losgekoppeld en naar de andere kant van de trein gereden en dan gaat de reis weer verder. De helling is 1 op 42, grofweg 2,5 procent; een hellingshoek die een geladen goederentrein zonder grote problemen kan slechten. Er zijn twee tunnels en talrijke viaducten om de trein van een hoogte van 1090 m ruim 200 m te laten afdalen naar de Lithgow Valley.

In 1910 werd deze spoorlijn overbodig, nadat er een 5 km lange tunnel was gegraven. Het spoor raakte in verval, tot in de jaren zeventig spoorenthousiastelingen besloten oude treinen te laten rijden op het zigzagtracé. Tot 1994 alleen op zon- en feestdagen en met stoomlocomotieven, maar sindsdien dagelijks om 11, 13 en 15 uur vanaf het station Clarence, waarbij ook diessellocomotieven worden gebruikt. De trein rijdt langs steile kliffen van zandsteen. Een must voor treinliefhebbers en anderen. Onderweg stopt de trein om de bezoekers van het uitzicht te laten genieten.

ⓘ ZIGZAG RAILWAY, PO Box 1 Lithgow NSW 2790, tel. 6355 2955, www.zigzagrailway.com.au. Volwassenen 22 Au$, kinderen 11 Au$.

**Nog meer groen**

Ten noorden van het Blue Mountains National Park ligt het grote **Wollemi National Park** van 500.000 ha. Hier werd de Wollemi Pine (zie p. 89) ontdekt. Het is een schier ondoordringbaar gebied met nauwelijks voorzieningen. Dit is het grootste nationale park van New South Wales.

Wie niet genoeg kan krijgen van nationale parken, kan altijd verder reizen naar **Kanangra Boyd National Park**. Een mooi uitzichtpunt daar is de Kanangra Walls, die uitzicht biedt op de Kanangra Gorge. Tien minuten lopen vanaf de parkeerplaats. De weg naar de plek is onverhard. Dan ben je wel meer dan 200 km van Sydney. Het uitzichtpunt is in de buurt van de **Jenolan Caves**. Deze grotten zijn te bezoeken, maar hoewel indrukwekkend, grotten zien er overal ter wereld ongeveer hetzelfde uit. Onderzoekers stelden in 2006 vast dat deze grotten tot de oudste ter wereld behoren. Ze zijn naar schatting 350 miljoen jaar geleden gevormd.

ⓘ JENOLAN CAVES, tel. 6359 3311, www.jenolancaves.org.au.

## ROYAL NATIONAL PARK

Het grote park ten zuiden van Sydney is het Royal National Park, het op een na oudste nationale park ter wereld (na het Yellowstone Park in de Verenigde Staten). In 1879 al is 16.000 ha (grofweg 40 bij 40 km) groen tot park bestempeld. Toen heette het nog simpel National Park, het was immers het eerste park in Australië. Doel was destijds niet zozeer de bijzondere planten en dieren te beschermen, die hadden het nog best in die tijd. De filosofie was meer de Sydneysiders een groene long te geven, waar ze konden genieten van al het moois dat de schepping te bieden heeft. Er moest eigenlijk een park komen naar Engels model en niet zozeer een kopie van de wildernis, zoals nationale parken nu zijn.

Er kwamen dus grasvelden en er werden ten koste van de oorspronkelijke vegetatie (Europese) bomen geplant. De overheid

*Eucalyptus in het Royal National Park*

moedigde jagen aan door het uitzetten van herten, konijnen en vossen. Het leger hield hier ook militaire oefeningen.

Al in het begin van de vorige eeuw kwam er verzet tegen de houtkap in het park. Eind jaren veertig kregen wat meer moderne inzichten de overhand bij het beheer van het gebied. In 1955 reed koningin Elizabeth door het park op weg naar Wollongong, ten zuiden van Sydney. Sindsdien heet het Royal National Park.

Behalve dat dit het oudste park is, heeft het ook een treurige reputatie. Grote branden lieten het gebied niet ongemoeid. In 1994 brandde negentig procent van het gebied af en in 2001 is meer dan zestig procent van de natuur in as gelegd. De schade leek onherstelbaar. Maar wie nu rondrijdt, ziet daar eigenlijk weinig van, zeker als je voor de eerste keer komt en niet weet hoe het gebied er vroeger uitzag. Soms maakt het gebied een wat kale indruk, maar dat biedt juist mooie uitzichten over de omgeving. Alles is weer groen en het park bewijst als geen ander hoe veerkrachtig de natuur is. Eucalyptusbomen hebben regelmatig een brand nodig om voort te bestaan. De enorme hitte van het vuur doet hun zaden knappen, zodat als de vlammen zijn geweken, het zaad voor nieuw leven klaar ligt om te ontkiemen.

Bij de ingang iets ten zuiden van Sutherland is een bezoekerscentrum. Er lopen wat smalle geasfalteerde wegen door het park die toegankelijk zijn voor auto's en motoren. Toegang is 11 Au$ per voertuig. Ondanks de hoge prijs is het in het weekeinde redelijk druk op de wegen. Er is 150 km wandelpad en wild kamperen mag, mits er van tevoren toestemming is ge-

vraagd aan de beheerder.
Het park is redelijk met het openbaar vervoer te bereiken. Een leuke manier is de
trein naar Cronulla en dan de ferry naar
**Bundeena** (elk uur). Bundeena ligt aan de
rand van het park. Van daaruit is een wandeling te maken naar Aboriginal rotstekeningen bij Port Hacking Point.

Een andere mooie tocht door het Royal
National Park gaat naar de Uloola Falls en
is prima te doen met het openbaar vervoer. Neem de CityRail over de Illawarra-
lijn naar Heathcote. Over de parkeerplaats
rechts en dan door een bospad naar de Kar-
loo Pool. Vervolgens verder naar de waterval en terug naar het Waterfallstation aan
de Illawarra-lijn. De wandeling is ongeveer 11 km lang. Neem water
en wat te eten mee.

ⓘ ROYAL NATIONAL PARK, Farnell
Avenue, Audley Heights NSW
2232, tel. 9542 0648, www.na-
tionalparks.nsw.gov.au.

## KU-RING-GAI CHASE
## NATIONAL PARK

Het derde grote nationale
park is het Ku-ring-gai Chase
National Park, ten noorden
van de stad. Ook dit is een indrukwekkend stuk groenge-
bied van bijna 15.000 ha (30
bij 50 km). Hier mondt de
Hawkesbury-rivier uit in de
Tasmanzee. Er zijn overal
diepe inhammen te zien. Het
park geeft een indruk hoe de
omgeving van Sydney eruit-
zag voor de komst van de kolonisten. Het op een na oudste park van Australië is in
1884 in het leven geroepen
en heeft een grote aantrek-
kingskracht op de Sydney-
siders. Anders dan bij het

Royal National Park stond bij dit park na-
tuurbescherming vanaf het begin voorop.
Het park is belangrijk voor de geschiedenis van de Aborigines. Voor de komst van
de Engelsen woonden er de Guringai-men-
sen, maar de nieuwkomers brachten weinig goeds. In 1790, twee jaar na de aankomst van de Eerste Vloot, was de helft
van de stam bezweken aan de pokken. In
1840 waren bijna alle Aborigines in het gebied gevlucht voor de blanken. De naam
herinnert nog aan de naam van de oorspronkelijke bewoners. De toevoeging
*chase* betekent dat het gebied niet om-
heind was.
De sporen van de oorspronkelijke bewoners zijn nog wel te vinden. Het park telt
ongeveer 800 plekken die belangrijk zijn

*De stad uit voor een picknick*

voor Aborigines. Het zijn spirituele plaatsen voor hen. Soms zijn het begraafplaatsen, soms rotsinscripties. Deze zijn overal in het park te vinden en beelden meestal mensen en dieren, wallabies, vissen, reptielen en vogels uit. Er zijn ook rotstekeningen te vinden. Om deze plekken echt te herkennen en te zien is een rondleiding nodig. Wie zomaar wat rondrijdt, zal de meeste domweg over het hoofd zien.

Een bijzondere manier om het park binnen te reizen, is via een ferry vanaf Palm Beach, te bereiken vanuit Sydney met de bus (nummer 88 en 90, reken op anderhalf uur vanaf Wynyard). Elk uur gaat er een ferry van de werf naar het aan de andere kant gelegen The Basin, waar een eenvoudige camping is. Het is de enige plaats waar je in het park kunt kamperen. Die plek, waar geen auto's mogen komen, is een ideaal vertrekpunt voor wandelingen of voor luieren op het strand.

Wie naar Ku-ring-gai reist, zal het niet ontgaan: een witte koepel steekt boven het groene bladerdek uit. Het lijkt een observatorium, maar het is de **The Bahá'í Temple** van Sydney. Deze tempel is opgericht door de volgelingen van Bahá'u'lláh, een man afkomstig uit wat nu Iran heet. Deze geloofsstroming heeft zich over de hele wereld verspreid en heeft zeven grote tempels, waarvan de Lotus-tempel in de Indiase stad New Delhi de bekendste is.

De tempel in Sydney is voor iedereen elke dag toegankelijk. Er is een bezoekerscentrum met een eenvoudig cafetaria en een boekwinkel.

ⓘ KU-RING-GAI CHASE NATIONAL PARK. Bezoekerscentrum Sydney-Noord, Bobbin Head Road, Mount Colah, tel. 9472 8949; The Basin, Palm Beach, tel. 9974 1011,
www.nationalparks.nsw.gov.au.
THE BAHÁ'Í TEMPLE, 173 Mona Vale Road, Ingleside, tel. 9998 9222, www.bahai.org.au.

In een wijde cirkel van zo'n 200 km rond Sydney zijn 52 nationale en regionale parken, de niet behandelde parken zijn ver weg en veelal slecht zonder eigen vervoer te bereiken. De NSW Park Service heeft een folder over al die parken. Wie nog niet genoeg groen heeft gezien, kan er altijd nog eentje uitpikken voor nog meer.

## HUNTER VALLEY

Een uitstapje dat qua populariteit niet veel onderdoet voor een wandeling door de Blue Mountains, is een tocht door de wijnvallei: de Hunter Valley. Echt dichtbij groeien de druiven niet; reken op zeker 400 km heen en weer om een heuvelachtig gebied te doorkruisen met inderdaad eindeloze wijngaarden en wijnhuizen. Het gebied is zo populair (jaarlijks krijgen de wijnproeverijen 2,5 miljoen bezoekers over de vloer) dat eigen vervoer niet nodig is. Vanuit de stad worden dagelijks veel busexcursies naar het gebied verzorgd, een eenvoudige oplossing voor wie het gebied graag wil zien. Reken op zo'n 100 Au$ per persoon, maar wie uitgebreid gaat lunchen en overal gaat wijnproeven, is wel wat meer kwijt.

De tocht naar het wijngebied loopt ten noorden van Sydney door het hierboven beschreven Ku-ring-gai National Park. Voor de aanleg van de snelweg zijn diepe sleuven gehakt in het zandsteen, waardoor je soms het gevoel hebt door een kleine canyon te rijden. Later wordt het landschap wat lieflijker en de Hunter Valley is een rustig glooiend landschap dat zeker door de overvloedig aangeplante wijnstruiken lijkt op Frankrijk.

De hoofdplaats van het wijngebied is Cessnock, zo'n 160 km van Sydney. De meeste mensen maken vandaar een rondje over de Wine Country Drive tot de Broke Road naar de Hermitage Road. Een stukje over die weg en dan keren en bij de Broke Road rechtsaf over de McDonalds Road en Oakey Creek Road terug naar Cessnock.

Er zijn in het gebied ongeveer 120 wijnboerderijen, waar gezamenlijk circa 3500 ha wijnstokken zijn aangeplant. Jaarlijks levert het gebied 33.000 ton druiven, waaruit dan weer 40 miljoen liter wordt gemaakt; ruim de helft is wit, 15 miljoen liter rood en nog 2 miljoen liter dessertwijn. Er worden ook druiven uit de regio geïmporteerd. De meest gebruikte rassen zijn *semilon* en *shiraz* en tegenwoordig is er steeds meer *verdelho, cabernet sauvignon* en *merlot*.

Het gebied is ideaal voor de wijnbouw, de temperaturen zijn niet te hoog, de grond is vruchtbaar en er valt voldoende regen. Bij de meeste bedrijven kun je gewoon even binnenlopen en de wijn proeven. Kopen is uiteraard niet verplicht. Het proeven is een aangenaam tijdverdrijf van veel toeristen en Australiërs. Vaak staan de eigenaren van de wijngaard zelf achter de toog om de waar aan te prijzen. Het is soms erg druk.

De wijnen die hier te koop zijn, behoren niet tot de goedkoopste van Australië. De grote merken, zoals Hardy's en Lindemans, vind je hier nauwelijks. Het zijn kleine tot middelgrote bedrijven die hun wijn met veel passie aan de man proberen te brengen.

In het gebied staat de wijnbouw centraal, maar in de kielzog van de druif wordt steeds meer te koop aangeboden, zoals olijven, jam, chocolade en kaas.

ⓘ HUNTER VALLEY, Visitors information Centre, 455 Wine Country Drive Pokolbin, tel. 4990 0900, www.winecountry.com.au. Geopend: ma.–za. 9–17.30, zo. 9–16 uur.
BOUTIQUE WINE TOURS, tel. 1800 990 802.
HEAVELY HUNTER DAY TRIPS, tel. 9328 3016.

Wie terug wil en de snelweg wil vermijden, kan min of meer de route volgen die tussen 1826 en 1836 door gevangenen is aangelegd. We hebben het over de **Great North Road** (www.convicttrail.org). Er hebben zo'n 720 veroordeelden, vaak aan elkaar geketend, aan de deze weg gewerkt. Het was de eerste weg van Sydney naar Newcastle en de Hunter Valley. Niet altijd is de route met de auto te volgen, maar onderweg is er zo hier en daar wat te zien van het technische hoogstandje uit het begin van de 19de eeuw. Op veel plaatsen zijn oude duikers onder de weg, fraaie bogen en soms wel 12 m hoge muren bewaard gebleven.

Het best bewaard is de weg ten noorden van Wisemans Ferry, maar daar mag alleen worden gewandeld of gefietst. Vanaf de veerboot is het de moeite waard om een stukje de weg op te lopen.

## NEWCASTLE

Wie toch zo ver gekomen is, kan ook even een kijkje nemen in Newcastle, de stad waar de Hunter River in de Tasmanzee uitmondt. Het is uiteraard niet te vergelijken met Sydney, de stad telt bijna een half miljoen inwoners. Met dit aantal is het de zesde stad van Australië, na de grote vijf: Sydney, Melbourne, Brisbane, Perth, Adelaide. Newcastle is na Sydney de tweede grote Europese nederzetting in Australië. Het fort dat boven de stad uitsteekt, valt het meeste op. Het is Fort Scratchley op Flagstaff Hill dat is gebouwd in 1882. De plaats is al sinds 1843 als verdedigingswerk gebouwd. Australië vreesde een inval van Rusland als nasleep van de Krimoorlog en wilde hiermee de oostkust beschermen. Het fort is werkelijk als verdedigingswerk gebruikt. Dat gebeurde tijdens de Tweede Wereldoorlog op 8 juni 1942, toen een Japanse onderzeeër granaten afvuurde op Newcastle. De onderzeeër werd met de kanonnen vanaf het fort verjaagd. De kanonnen zijn laat in de jaren zestig van het gebouw verwijderd. Nu is het een maritiem museum.

Verder heeft de stad een oude vuurtoren, mooie stranden en een rotszwembad dat door gevangenen is uitgehakt. Om speci-

## BOS- EN STADSBRANDEN

Sydney is niet zo vaak in het nieuws in Europa. Maar elk jaar, als het koud is in Nederland, komt er steevast wel een bericht over een verschrikkelijke bosbrand in de buurt van Sydney. En het klopt. Elke zomer zijn er bosbranden, de ene erger dan de andere, maar de Australiërs leven ermee. Als de temperatuur boven de 40 graden stijgt, wat gelukkig niet al te vaak voorkomt, is het per definitie raak. Er waait dan een droge wind rechtstreeks uit de woestijn naar Sydney en er is een *total fire ban* van kracht. Een smeulende sigarettenpeuk is genoeg voor een boel ellende.

Maar vuur is niet alleen slecht. De meest voorkomende boom op het

*Snel nadat de vlammen zijn gedoofd, vertonen de geblakerde stammen alweer nieuwe tekenen van leven.*

continent, de eucalyptus, heeft vuur nodig voor zijn voortbestaan. Door de hitte knappen de zaden en als de vlammen zijn uitgeloeid, zijn de kiemen voor het nieuwe leven alweer gelegd. Niks aan de hand dus, maar vervelender is het als de branden bewoond gebied bedreigen. Soms gaan delen van wijken in vlammen op en dan is het beeld minder rooskleurig. Of er komen brandweermannen om bij het bluswerk.

Maar is het werkelijk zo erg? Net zoals mensen die naast een rivier wonen wel eens last hebben van water, zo accepteren de Australiërs de gevaren van het vuur. Ze bouwen huizen graag in het bos en nemen het risico op de koop toe. De brandweer houdt elk voorjaar bijeenkomsten om de mensen die in de bossen wonen voor te bereiden op het gevaar. Op het erf mag geen rommel liggen, de goot moet schoon zijn en meer van dat soort maatregelen. Het advies is om in huis te blijven als het vuur eraan komt. Dan is de kans het grootst dat het huis de vuurzee overleeft.

De vlammen racen vaak door een bos of langs een huis en meteen na de passage van het vuur moet iedereen naar buiten met voldoende water om de beginnende brandjes te blussen. Deze strategie wordt alleen aangeraden voor mensen met sterke zenuwen.

En ja, een bosbrand in Sydney klinkt heel alarmerend voor het thuisfront, maar dat is overdreven. Sydney is zo groot als de provincie Gelderland. En wie voelt zich in Apeldoorn bedreigd als er in Nijmegen een brand is? Meestal merk je dus niks van een brand in de stad, anders dan soms een heiige hemel en een zon die moeite heeft om door de smog te branden.

aal naar Newcastle te gaan uit Sydney lijkt te veel eer, maar wie in de Hunter Valley is, kan bij voldoende tijd altijd even de stad inwandelen.

🛈 NEWCASTLE, 351 Hunter Street, tel. 4974 2999, www.visitnewcastle.com.au.

### WOLLONGONG

De eerste stad ten zuiden van Sydney is Wollongong, de stad van de staalindustrie van Australië. In de omgeving zijn grote koolvoorraden en er waren dus ook omvangrijke mijnen. In deze stad vond het ernstigste mijnongeluk plaats van Australië. In 1902 kwamen bij een explosie 94 mijnwerkers en daarna nog twee reddingswerkers om het leven.

Wollongong, zo'n 80 km ten zuiden van Sydney, is met zo'n kwart miljoen inwoners niet echt een aantrekkelijke stad. Er is eind 2005 een nieuwe kustweg naar Wollongong geopend en die biedt een mooi uitzicht over de kuststreek. Ook met de trein van CityRail is deze stad eenvoudig te bereiken.

In de stad zelf is de boeddhistische tempel een belangrijke blikvanger. De **Nan Tien Temple** – Paradijs van het zuiden – is het grootste boeddhistische complex op het zuidelijk halfrond en een populaire bestemming voor toeristen. De tempel opende in 1995 en wordt geleid door de Fo Gu ang Shan-beweging. De tempel is gebouwd in een grote tuin met talrijke Chinese details.

Verder pronkt Wollongong (een Aboriginal woord dat 'vijf eilanden' betekent; er zijn vijf eilanden te zien vanaf de kust) met zijn vuurtoren. Toegegeven, het is een mooi gebouw, maar vuurtorens zijn er ook genoeg in Sydney. Ook is er aandacht voor de geschiedenis van het staal in **Australia's Industry World**. Op een enorm industriecomplex in Port Kembla aan de zuidkant van de stad zijn rondleidingen te maken door de staalfabriek.

ⓘ WOLLONGONG, www.tourismwollongong.com.

## CANBERRA

De hoofdstad van Australië ligt voor een dagtocht eigenlijk net te ver weg van Sydney (zo'n 300 km). Een trip is wel mogelijk, maar dan ben je uren kwijt met reizen. De hoofdstad is op de tekentafel geboren en heeft daardoor iets kunstmatigs. Canberra is een provinciestad, maar er is wel ongelooflijk veel te zien. Zoals het National Museum, het parlementshuis, het Australian War Memorial, de National Gallery en de National Library. Veel attracties in de hoofdstad zijn gratis toegankelijk.

Wie veel tijd heeft, moet twee dagen naar Canberra gaan om te zien hoe een stad van de tekentafel realiteit werd. De gebouwen zijn soms erg pompeus, de lanen heel breed. Het geheel heeft iets aparts. Maar een echte stad als Sydney wordt Canberra natuurlijk nooit.

ⓘ CANBERRA, Canberra visitors Centre, 330 Northbound, tel. 1300 554 114, www.canberratourism.com.au

# Praktische informatie

## ADRESSEN EN TELEFOONNUMMERS

### Nederland

- Australische Ambassade, Carnegielaan 4, 2517 KH Den Haag, tel. 070-310 82 00, www.australian-embassy.nl.
- Australisch verkeersbureau is alleen te bellen op 020-4874541, waar brochures kunnen worden besteld, www.australia.com.

### België

- Australische ambassade, Guimardstraat 6-8, 1040 Brussel, tel. 02/2860500, www.austemb.be.
- Australisch verkeersbureau is te bellen op 02-7143199, www.australia.com.

### Australië

- Nederlandse Ambassade, 120 Empire Circuit Yarralumla Canberra, ACT 2600, tel. 6220 9400, fax. 62733206, www.netherlands.org.au.
- Nederlands Consulaat Generaal, Tower 2, 23ste verdieping Bondi Junction, Sydney. Geopend: ma.–vr. 10–13 uur, tel. 9387 6644.
- Belgische ambassade, 19 Arkana Street, Yarralumla Canberra, ACT 2600, tel. 6273 2501, www.diplomatie.be/canberra.
- In Sydney is geen Belgisch consulaat meer.

### TELEFONEREN

Het internationale toegangscijfer voor Australië vanuit Nederland en België is 0061. Vervolgens het telefoonnummer zonder de 0 van het kengetal en dan de acht cijfers van het telefoonnummer. Alle nummers in Sydney (heel New South Wales en Canberra) hebben als netnummer 02. In de gids is het netnummer weggelaten. De mobiele telefoonnummers beginnen met 04.

Bellen naar Nederland en België. Draai 0011 dan het landennummer Nederland 31 en België 32 en vervolgens het telefoonnummer zonder de 0 van het kengetal. Mobiel bellen is niet goedkoop, een mogelijkheid om goedkoop naar huis te bellen is de aanschaf van een telefoonkaart. Deze zijn in veel soorten te koop. Bellen naar Nederland en België kost dan vaak minder dan 0,01 Au$ per minuut, plus de kosten van een lokaal gesprek.

### Inlichtingen over telefoonnummers

| | |
|---|---|
| 1223 | automatisch systeem dat telefoonnummers geeft |
| 12455 | geeft telefoonnummer en verbindt desgewenst door |
| 1225 | inlichtingen buitenland |
| 12550 | collect call in Australië |
| 1800801800 | collect call buitenland |

www.whitepages.com.au (voor particulieren)
www.yellowpages.com.au (voor bedrijven)

### Bellen in Sydney

De meeste lokale telefoongesprekken kosten 1 tik (40 dollarcent uit een telefooncel), ongeacht de tijdsduur, mits je naar een vaste lijn belt. De mobiele tarieven zijn anders en de kosten nemen toe met de duur van het gesprek. De meeste telefoonnummers in Sydney beginnen met een 9. De nummers die beginnen met 1300 worden ook voor een lokaal tarief afgerekend. De nummers van zes cijfers die beginnen met 13 zijn meestal gratis nummers. Dat geldt ook voor 1800-nummers. In hotels worden toeslagen berekend die soms flink kunnen oplopen.

### BELANGRIJKE TELEFOONNUMMERS

- 000 noodgevallen voor assistentie van politie, brandweer en ambulance. Vanaf een mobiele telefoon werkt het internationale alarmnummer 112, afhankelijk van de provider, ook.
- 131444 Police Assistence Line (voor andere zaken) www.police.nsw.gov.au
- 1800 123400 Security Hotline (voor het melden van verdachte activiteiten)
- 9467 1100 noodapotheek
- 9361 8000 hulp bij alcohol- en drugsmisbruik
- 9819 6565 hulp na verkrachting

### Enige ziekenhuizen in de stad

- Balmain Hospital, tel. 9395 2111 (Balmain)
- Manly Hospital, tel. 9976 9611 (Manly)
- Prince of Wales, tel. 9382 2222 (Randwick)
- Royal Prince Alfred, tel. 9615 6111 (Camperdown)
- Sint Vincent, tel. 8382 1111 (Paddington)

● Sydney Hospital 9382 7111 (City)

## Verkeer

● RTA, Road and Transport Authority, tel. 132 213
● Verkeersinformatie, tel. 132 701
● NRMA, wegenwacht, tel. 131 111
● Inlichtingen openbaar vervoer, tel. 131 500
● www.131500.info

## Verloren voorwerpen

● Trein, tel. 8202 2000
● Bus, bel het busdepot; de chauffeur van de bus heeft het telefoonnummer, dus onthoud met welke bus je bent gegaan;
● Ferry, tel. 9207 3001
● Taxi, tel. 9020 2252

## VERKEERSBUREAUS

Er zijn verkeersbureaus op de Rocks en in Darling Harbour, met de bekende uitstalling van folders, boekjes en brochures. Het is de moeite waard daar even langs te gaan. Veelal kun je er folders oppikken, waarmee je tien of twintig procent korting krijgt op de belangrijke attracties. Verder zijn er plattegronden, gidsen, T-shirts en andere souvenirs te koop. Alle hotels hebben in de lobby rekken staan waar iedereen naar hartenlust folders mag pakken.

## WEBSITES

Sydney kent tal van websites waar de liefhebber urenlang op kan rondneuzen. Alle mogelijke informatie over de stad, de attracties, hotels, restaurants, cafés en uitgaanstips zijn op deze sites te vinden. Een greep uit de belangrijkste:
www.sydneyguide.net.au
www.cityofsydney.nsw.gov.au
www.tourism.nsw.gov.au
www.abc.net.au/sydney
www.sydney.citysearch.com.au
www.uts.edu.au/about/sydney/sights

## REIZEN NAAR SYDNEY

Er is de keuze uit een groot aantal luchtvaartmaatschappijen, zoals Qantas, British Airways, Lufthansa, Cathay Pacific, Emirates, United (vliegt over Amerika), Thai, Singapore Airlines en Austrian. Voor ongeveer

1000 euro moet het lukken een retourvlucht te boeken vanaf Amsterdam of Brussel. Zoek goed op internet voor de goedkopere mogelijkheden (bijvoorbeeld op www.flightcentre.com of www.vliegwinkel.nl). Je bent minimaal 22 uur onderweg, afhankelijk van de overstaptijd.

In Sydney komen alle vluchten uit het buitenland aan op Kingsford Smith International Airport, op ruim 10 km uit het centrum. Je bereikt de stad met de trein (circa 12 Au$ enkele reis) of anders met de taxi. Met zijn tweeën is de taxi naar de stad veelal goedkoper dan de trein.

## REIZEN IN SYDNEY

### Bus

Bijna elke hoek in Sydney is met de bus bereikbaar, maar het reizen kost veel tijd. De meeste bussen vertrekken vanaf Circular Quay en waaieren zo over de stad uit. Er zijn wel 150 buslijnen, te veel om op te noemen en het kost jaren om de logica van het openbaar vervoer een beetje onder de knie te krijgen. De tijden op de borden bij de dienstregeling zijn bij benadering. Het verkeer is te chaotisch en bovendien verkoopt de chauffeur kaartjes en dat kost soms veel tijd.

Kaartjes kun je in de bus kopen en de prijs is afhankelijk van de afstand. Handig is een *TravelTen*-kaart, waarmee je tien keer kunt reizen. De prijs loopt op met het aantal zones dat je wilt reizen. De kaarten koop je bij de tijdschriftenwinkel en je stempelt de kaart af in een automaat in de bus.

● SYDNEY BUSES, 131500, www.sydneybuses.info of www.13500.info.

### Trein

De trein is meestal een logische optie, maar het treinennet is vooral handig voor mensen die naar de buitenwijken willen. Het net is niet zo fijnmazig als in Londen of Parijs. Veel plekken in het centrum zijn niet goed bereikbaar met de trein, zoals het strand van Bondi of de wijken aan de rand van het centrum (Glebe en Balmain). Het centrum is goed beloopbaar, dus een groot probleem is er niet.

De prijs van het kaartje is afhankelijk van de afstand. Je kunt een kaartje kopen in een blauwe automaat, maar veel stations hebben ook een loket. Voor bestemmin-

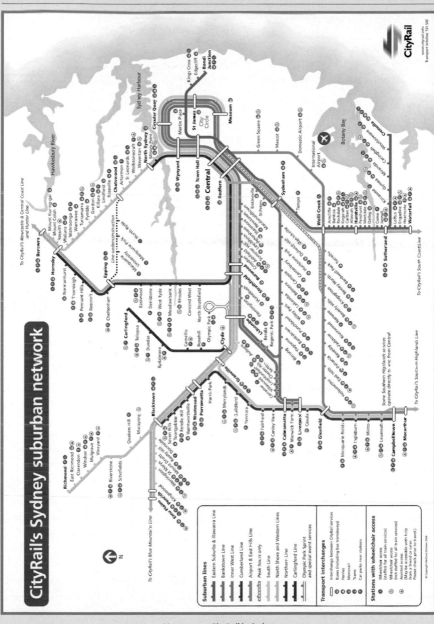

*Het net van CityRail in Sydney*

gen in het centrum moet je een kaartje kopen naar *City*. Het is verstandig om door de week na negen uur 's ochtends te reizen, omdat de retourtjes dan goedkoper zijn.

- CITYRAIL, 131500, www.cityrail.info of www.131500.info.

## Ferry

Het leukste openbaar vervoer in Sydney zijn de ferry's. Vanuit Circular Quay vertrekken veerboten naar een groot aantal plekken aan de haven. Wie naar Balmain wil, neemt de veerboot. De tocht naar Manly is onovertroffen en ook varen naar Parramatta is de moeite

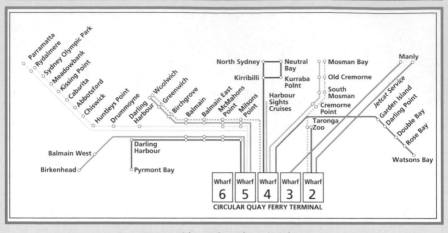

*Een overzicht van de veerboten in Sydney*

waard. Een enkele reis in het havengebied kost 5,10 Au$, een retour het dubbele. De veerboot naar Parramatta kost meer. Er zijn tienrittenkaarten te koop.

● SYDNEY FERRIES, 131500, www.sydneyferries.info of www.131500.info.

## Monorail en tram

Verder rijdt er door het centrum en door Darling Harbour een monorail. Het is typisch een toeristenlijntje. De trein rijdt rondjes langs een aantal belangrijke attracties met name in Darling Harbour. Een ritje is een leuke ervaring, want zoveel monorails zijn er niet in de wereld. Een rondje kost 4,50 Au$, een dagkaart het dubbele.

En dan is er ook nog een tram, gerund door de eigenaar van de monorail. In de jaren zestig zijn de trams uit de straten verbannen om de auto's meer ruimte te bieden. Sydney kende toen het grootste tramnet ter wereld. De verbanning betekende het einde van die vorm van openbaar vervoer die in 1861 is ingevoerd. In die tijd werden de trams nog door paarden getrokken. Na jaren van soebatten kwam er in 1997 weer een tramlijn. Sindsdien komt het onderwerp weer geregeld naar voren, maar er is nauwelijks politieke wil aanwezig om meer tramlijnen aan te leggen in een poging het autoverkeer terug te dringen. De auto is domweg koning. Een kaartje voor de tram kost voor een zone 3 Au$ en voor twee zones 4 Au$, retour 4,50 en 5,50 Au$.

● MONORAIL, tel. 85845288, www.metromonorail.com.au.

## Abonnement openbaar vervoer

Voor toeristen bestaat de mogelijkheid om een weekabonnement te nemen, dat geldig is op trein, bus en ferry. Afhankelijk van het gebied waar je mag reizen, is er de keuze uit een rode (33 Au$), een groene (41 Au$), een gele (45 Au$), een roze (48 Au$) en een paarse (55 Au$) openbaarvervoerpas. Voor de meeste toeristen is de groene kaart voldoende; deze kaart is ook geldig voor de vaartocht naar Manly. Wie ook naar Parramatta wil varen, kiest een gele kaart. De kaarten zijn zeven dagen geldig, maar wie het abonnement na drie uur 's middags koopt, krijgt die middag en avond er gratis bij. Deze abonnementen zijn niet geldig om te reizen van en naar het vliegveld. Bij die stations op het vliegveld moet een extra uitstapheffing van 9 Au$ worden betaald. Ook is de kaart niet geldig op de toeristenbussen. Er zijn ook dagkaarten voor 15,40 Au$.

## 's Nachts

De trein en bus rijden tot circa middernacht en hervatten hun dienst vaak voor vijf uur in de ochtend. In de tussentijd rijden er elk uur speciale bussen, de *Nightride,* die grofweg de treinroutes volgt.

## Toeristenbus

Sydney Buses exploiteert ook een rode Sydney Explorer Bus door het centrum van de stad. Deze rijdt om de 20 minuten in 2 uur langs de belangrijke toeristische attracties in de binnenstad. Bij elk van de 26 haltes is er kort commentaar wat er te zien is. Je kunt alleen een

nogal dure dagkaart (volwassen Au$ 39, kinderen Au$
19) kopen en dan zo vaak in- en uitstappen als je wilt.
De eerste bus gaat om 8.40 uur en de laatste vertrekt
om 17.20 uur voor de laatste rondrit. De buskaart geeft
op sommige attracties 10 tot 20 procent korting.
Er rijdt ook een blauwe variant rond, de Bondi Explorer.
Deze bus doet negentien stranden aan. Ook deze vertrekt van Circular Quay en doet de wijken Rose Bay en
Watsons Bay aan en buigt dan af naar de beroemde
stranden, zoals Bondi en Coogee. De prijzen zijn hetzelfde als voor de Explorer Bus. Er zijn tweedaagse
combikaartjes te koop die op alle twee de buslijnen
geldig zijn voor 68 Au$, kinderen 34 Au$.
Ten slotte is er voor de toeristen een meerdaags abon-
nement te koop, één-, drie , vijf of zevendaags, res-
pectievelijk voor 110, 145, en 165 Au$, te gebruiken
binnen acht dagen. Dit is dan inclusief een retour van
en naar het vliegveld en drie cruises met Sydney Ferry's
en ook alle gewone treinen, bussen en veerboten.
Deze kaartjes zijn misschien handig, maar duur in verhouding tot de 'normale' tarieven van het openbaar
vervoer. De eerder beschreven zevendaagse groene
openbaarvervoerpas is een veel goedkopere optie dan
de dure toeristenkaarten.

## Taxi

En dan is er altijd nog de taxi voor wie niet op de bus,
trein of ferry wil wachten. Gewoon je hand opsteken
en hopen dat er een taxi stopt. Als het bordje taxi op
het dak van de auto is verlicht, dan is hij vrij. Een taxi is
ook per telefoon en via internet te bestellen, maar dat
heeft in het centrum weinig zin. Er rijden zoveel taxi's
rond, dat je meestal binnen een paar minuten een auto
hebt. Je spaart dan de boekingstoeslag van 1,40 dollar
uit.
Er zijn verschillende taximaatschappijen. De overheid
heeft maximumtarieven vastgesteld. Deze worden
meestal ook in rekening gebracht. Instaptarief is 2,90
dollar en daarna 1,68 dollar per km. Nachttoeslag (van
22 tot 6 uur) is 20 procent. Wachttarief is 43,40 dollar
per uur. Op een fooi wordt niet gerekend. Vaak rondt
de chauffeur het bedrag zelfs naar beneden af. Tol en
luchthaventoeslag (2 Au$) worden doorberekend aan
de passagier.
Heel wat chauffeurs kennen de weg in Sydney niet of
nauwelijks, vooral naar bestemmingen in de buitenwij-

ken. Graag rijden ze een rondje om, vooral de taxi's
vanuit de luchthaven. Maar dat is in de meeste steden
zo. Je hebt als passagier het recht om de route te bepalen, maar als toerist heb je hier weinig aan.
Enige nummers:
- Taxi Combined 133300,
  www.taxiscombined.com.au.
- Legion Cabs 131451, www.legioncabs.com.au.

## DE WEG VRAGEN

Het lijkt eenvoudig. Je hebt een adres, de King Street in
Sydney bijvoorbeeld. Dat is te vaag. Met een beetje
pech kom je uit in de King Street in het centrum tussen
de wolkenkrabbers, terwijl je naar de trendy King
Street in Newtown had willen gaan. Of misschien de
King Street in Bondi bij het strand. Daarom: bij elke
straatnaam hoort een wijk. De taxichauffeur wil altijd
eerst weten naar welke wijk je wilt en dan pas de
straat waar je moet zijn.
Sydney is een grote stad, maar de gemeente Sydney is
heel klein. De gemeente met nog geen 200.000 inwoners beslaat het Central Business District en wat
woonwijken erom heen. Verder is er nog een dertigtal
gemeenten dat samen 'groter Sydney' vormt met ruim
4 miljoen inwoners. Er is geen burgemeester van die
stad, er is geen overkoepelend orgaan dat de stad be-
stuurt. De grote lijnen houdt de deelstaat New South
Wales in de gaten.
Bijster origineel zijn ze niet met hun naamgeving in
Australië. Veertig straten heten King Street en dan is er
ook een King Avenue. Er zijn elf King Lanes en één King
Place. Wordt er maar wijs uit. Andere populaire namen
zijn: Park, nog populairder dan King, Princes, Pitt,
George, en Hume. Het is hoogst zelden dat een straatnaam maar één keer voorkomt in de stad.

## GELD

De munteenheid is de Australische dollar. De koers
was medio 2006 1 Au$ is 0,59 eurocent, 1 euro is 1,70
Au$; de koers wisselt van dag tot dag een beetje.
Er zijn zilverkleurige munten van 5, 10, 20, 50 cent en
bronsgekleurde 1 en 2 dollarmunten. Opvallend is dat
het muntstuk van 2 dollar kleiner is dan dat van 1 dollar.
Dat is nogal verwarrend. Soms wordt er bij musea om
een *gold coin donation* gevraagd. Dan word je verzocht
een munt van een of twee dollar in de bak te doen.

De zilveren muntstukken zijn nogal zwaar en groot. Het muntstuk van 50 cent (een twaalfvlak) heeft vaak een andere beeltenis op de munt. Dit geldt ook voor het muntstuk van 1 dollar.

Er zijn bankbiljetten van 5 dollar (paars), 10 dollar (blauw), 20 dollar (rood, ) 50 dollar (geel) en 100 dollar (groen). Er prijken veelal beroemde Australiërs op de biljetten, namen die Nederlanders weinig zullen zeggen. Een uitzondering is het biljet van 5 dollar. Daarop zijn koningin Elizabeth en het oude parlementsgebouw in Canberra afgebeeld.

De geldautomaten, die overal te vinden zijn tot in de cafés, geven meestal 50 dollarbiljetten. De biljetten van 100 dollar zijn nauwelijks in omloop. De Australiërs zijn nogal trots op hun bankbiljetten, omdat ze niet van papier, maar van plastic zijn gemaakt. Een wasbeurt overleven ze prima.

De meeste creditcards worden probleemloos geaccepteerd. De verkoper haalt de kaart door de machine en vraagt dan vaak 'credit' of 'debet'. De debetkaart is zoiets als een pinpas, waarbij het saldo wordt gecontroleerd voordat er betaald kan worden. Er moet dan ook een pincode worden ingevoerd. Buitenlanders kiezen voor de creditoptie, waarbij een handtekening voldoet. Dit zeg je duidelijk tegen de verkoper: *'On credit please.'* De bankautomaten hebben geen moeite met de Nederlandse en Belgische bankpassen. Maximaal spuwt de automaat 1000 Au$ per dag uit, mits er voldoende saldo is natuurlijk.

De prijzen in de gids zijn van 2006 en zijn alleen een richtlijn.

## HORECA

Het is verwarrend, maar in een Australisch hotel kun je vaak niet slapen. Een Australisch hotel is het best te vergelijken met een Engelse pub: een fraai gelegen gebouw, vaak op de hoek van de straat, waar je kunt drinken en eten, gokken en televisie kunt kijken, meestal naar sport. Vooral mannen gaan naar dit soort plekken. Sommige hotels zijn modern en strak, andere zijn oud, mooi, maar vervallen. Heel soms heeft een Australisch hotel ook kamers, maar dat zijn de echte uitzonderingen.

### Eten en drinken

Naar een hotel ga je dus voor een biertje, veelal met diverse smaken van de tap. Daarnaast heeft bijna elk hotel wat ze noemen een bistro, een uitgiftepunt voor goedkope maaltijden. Echt goed is het eten niet, maar voor de snelle honger valt het mee, maar reken op heel wat vet.

De juffrouw achter de toonbank noteert de bestelling en geeft je een buzzer mee. Als de maaltijd klaar is, dan gaat het apparaatje zoemen en knipperen. Je gaat naar de toonbank en neemt je bordje mee, pakt bestek en gaat eten. Drank haal je aan de bar. Er is nog wel personeel om de tafel af te ruimen. Het is een leuke manier om op zijn Australisch te eten, waarbij het dan niet om de kwaliteit van het voedsel gaat, maar vooral om de atmosfeer.

Verder kun je eten in de talrijke koffieshops. Er is een menukaart, veelal wordt er de hele dag ontbijt geserveerd en wat warme schotels. In dit soort zaken liggen meestal ook kranten. Er wordt geen alcohol verkocht en het is ook niet de bedoeling dat je hier met een fles wijn komt aanzetten (zie BYO, 📖 pp. 100-101). Ook bij bakkerijen kun je vaak koffie en een broodje bestellen. Een bijzondere uitgaansplek is een RSL-club die elke buurt rijk is. RSL staat voor *Retired & Services League* en is bedoeld als eerbetoon aan de veteranen. Ze kunnen er een drankje halen en goedkoop eten. De clubs willen een bijdrage leveren aan het welzijn van de buurt. Veelal zijn ze ook open voor bezoekers. Er worden talrijke evenementen georganiseerd. De RSL-clubs zijn in feite goed georganiseerde uitgaansplekken, die in toenemende mate door de jeugd worden ontdekt.

## Restaurants

Sydney staat niet alleen bekend om zijn mooie stranden, het mooie weer en het water. Sydney staat ook synoniem voor fantastisch eten. Of het nu om gezonde ontbijten gaat, verrassende lunches of copieuze diners, Sydney heeft het beste te bieden. Het beste uit alle delen van de wereld ook, want bijna nergens anders zijn zoveel buitenlandse keukens zo goed vertegenwoordigd als in Sydney.

Het is ondoenlijk om à la culinair journalist Johannes van Dam al die duizenden restaurants persoonlijk te bezoeken, te testen en een cijfer te geven. Bovendien, wat de een geweldig exquise vindt, vindt de ander maar matigjes. Het beste is om zelf op pad te gaan en zelf zo veel mogelijk restaurants te proberen. Om het geld hoef je het niet te laten, want uit eten gaan is gelukkig stukken goedkoper dan in Nederland. Onderstaand overzicht geeft aan welk soort voedsel in welke wijk te vinden is. Pak de bus, trein, taxi of fiets en ontdek de heerlijkheden van Sydney! Uitzoeken op het internet kan natuurlijk ook: www.sydneycafes.com.au, www.sydneyrestaurants.com of www.eatability.com.au. De laatste website biedt de mogelijkheid om op wijk te zoeken en de commentaren van bezoekers te lezen. Of schaf de jaarlijks verschijnende *Good Food Guide* aan, te verkrijgen in elke boekhandel.

Toch een (onvolledig) overzicht.

## Afrikaans

Op naar Newtown, waar op de King Street diverse Afrikaanse restaurants zitten: het *African Feeling Cafe* op nummer 501 en *Kilimanjaro* op nummer 280.

## Australisch

Het Australische gerecht, als je daarvan kunt spreken, is *fish and chips*, zo afgekeken van de Britten. Toch zijn de fritestenten niet over de hele stad verspreid. Op Bondi zitten een paar gerenommeerde tenten. Begrijpelijk, want daar stikt het van de (Britse) backpackers die graag een patatje eten.

## Chinees

Vanzelfsprekend is het goed Chinees eten en vertoeven in China Town, de *Haymarket* dus. Maar in elke wijk zit wel een Chinees. Niet moeilijk zoeken dus.

## Duits

Er is een gerenommeerd Duits restaurant in The Rocks, heel origineel de Löwenbrau Keller. Inderdaad: bediening door personeel in Lederhosen.

## Frans

In de chiquere wijken Surry Hills, Paddington en Darlinghurst zijn genoeg Franse restaurants te vinden. Zoals op Crown Street: op nummer 355 zit *Marque French Restaurant* en op nummer 527 *Tabou*.

## Indiaas

Veel Indiaas eten in de wijk Surry Hills en op de Glebe Point Road in Glebe.

## Italiaans

Liefhebbers van pasta en pizza kunnen in heel Sydney terecht. Het Italiaanse eten is net zo populair als in Nederland. Sommige fans van de echte trattoria's gaan naar de wijk Leichhardt. En dan niet naar het Italian Forum, het nagemaakte Italiaanse plein, maar naar de restaurants op de Norton Street.

## Japans

Veel Japanners wonen in het rustige noorden van de stad. Daar zijn naar verhouding veel sushibars en andere plekken voor Japanse gerechten. Probeer de wijken Neutral Bay en Crows Nest, allebei net over de Harbour Bridge.

## Koreaans

In Strathfield en Burwood in het westen van de stad zitten veel Koreanen. Daar zijn ook Koreaanse restaurants waar geen letter Engels op de menukaart staat en de ober de taal nauwelijks machtig is. Aanwijzen maar en hopen dat het smaakt. Schoenen uit.

## Mexicaans

Voor de taco en enchilada is er niet echt een wijk aan te wijzen. Maar ze zijn er wel, restaurant Sombrero en Vera Cruz, maar dan overal in de stad.

## Libanees

Ook deze restaurants zijn overal in de stad te vinden. De wijk Lakemba heeft de grootste moskee en daar zijn ook wat restaurants te vinden, maar ook in de andere eetwijken zoals Newtown, Glebe en Balmain zijn ze te vinden.

## Portugees

Niet zo populair. Er zit een bekend Portugees restaurant in de wijk Marrickville (100 Marrickville Road), vlak bij het treinstation van Sydenham. Het is even zoeken, want het restaurant zit aan een voetbalveld.

## Pools

Voor Pools eten is de wijk Ashfield de aangewezen plek.

## Spaans

Niet zo populair als Italiaans, er wonen weinig Spanjaarden in Sydney. Maar bij Liverpool Street in het CBD en in Glebe zijn enige Spaanse restaurants te vinden en ook de nodige tapasbars.

## Thais

De Thaise keuken is ongelooflijk populair in Sydney. Wat in Nederland de Chinees is, is in Sydney de Thai. Er is dus keuze in overvloed. Maar de King Street in Newtown staat bekend om zijn enorme aanbod aan Thaise restaurants. Het Thai Pothong Restaurant (294 King Street, tel. 9550 6277, www.thaipothong.com.au ) is in 1998, 2000, 2001 en 2002 uitgeroepen tot beste Thai van Sydney.

## Vegetarisch

Vanwege het grote aanbod van restaurants uit Azië is vegetarisch eten in Sydney absoluut geen probleem. De Indiër en de Thai hebben al sinds eeuwen maaltijden zonder vlees of vis op het menu. Toch zijn er overal in de stad echte vegetarische restaurants te vinden. Wie niet in een ruimte wil eten, waar ook dode dieren worden geserveerd kan onder andere naar Pitt Street in het centrum gaan. Daar zitten drie vegetarische restaurants op korte afstand van elkaar (op nummer 238-242, 359 en 367).

## Vietnamees

De Vietnamese wijk in Sydney is het ver weg gelegen Cabramatta, niet ver van Liverpool. Maar in de wijk Marrickville is het ook goed Vietnamees eten. Het restaurant Bay Tinh (tel. 9560 8673) op de Victoria Road is populair.

## Vis

Vis eten doe je aan de haven. En daar hebben ze er genoeg van in Sydney. Veel visrestaurants dus in Darling Harbour, bij Circular Quay of bij Watsons Bay. Sla ook Pyrmont niet over en uiteraard zijn op de Fishmarket alle soorten vis te eten.

## Slapen

## Hotels en motels

Slapen doe je dus meestal niet in een hotel, maar in een motel. Een motel is vaak een eenvoudig onderkomen aan de rand van de stad waar je de auto voor de kamerdeur kunt parkeren.

In de binnenstad van Sydney hebben de grote internationale ketens hun hotels, die, om verwarring te voorkomen met de hotels waar je bier kunt drinken, alleen met de naam worden aangeduid. Dus: het Intercontinental, het Sofitel, het Mercure of The Menzies om enige dure hotels bij de naam te noemen. De grote moderne hotels in de binnenstad, zijn veelal lelijke hoge wolkenkrabbers. Het uitzicht uit die hotels is wel fantastisch. Alle grote ketens zijn vertegenwoordigd en je kunt het zo duur maken als je zelf wilt.
Hotelkamer boeken: www.discoversydney.com.au, www.hotel.com.au of www.wotif.com.

## Bed and Breakfast

Verder zijn er overal Bed & Breakfast-adressen. Je slaapt bij de mensen thuis op soms de meest verrassende plekken; www.bedandbreakfastnsw.com heeft een overzicht.

## Jeugdherbergen

Jeugdherbergen heten hier *backpackers*. Deze zijn overal in de stad te vinden, soms op aantrekkelijke plaatsen zoals op Kings Cross of aan het strand van Bondi of Coogee. Meestal moet je de kamer delen met anderen, sommige hebben ook tweepersoonskamers. Het is de plaats om leeftijdgenoten te ontmoeten. Vaak hebben de backpackers goed ingerichte keukens waar je zelf kunt koken, maar een studentenflatgevoel is onvermijdelijk. Goedkoop is het wel.
Op www.bcl.com.au/sydney en www.sydneyback-packers.com vind je een overzicht van backpackers. Hier zijn ook gewone hotels te boeken.

## UITGAAN

De Sydneysiders kunnen er niet genoeg van krijgen: een biertje drinken. Of het nu in de middag is op een terrasje, bij het avondeten, tijdens het kijken naar sport op tv of diep in de nacht: zonder alcohol is het niet af. Bij elk hotel in elke straat kun je dus bijna 24 uur per dag een pilsje pakken. Bijvoorbeeld, Victoria Bitter, het Australische bier uit Melbourne of een Tooheys van de concurrent uit Sydney. Maar ook de bekende, Europese merken als Heineken zijn praktisch overal te koop. De mogelijkheden om uit te gaan in Sydney zijn vrijwel onbeperkt: van chic en stijlvol met champagne en jazz-

| | Jan. | feb. | mrt. | apr. | mei | jun. | jul. | aug. | sept. | okt. | nov. | dec. | jaar |
|---|---|---|---|---|---|---|---|---|---|---|---|---|---|
| gem. dag. max. temp. (°C) | 26,1 | 26,4 | 25,2 | 23,1 | 20,4 | 17,7 | 17,2 | 18,5 | 20,7 | 22,4 | 23,6 | 25,6 | 22,3 |
| gem. dag. min. temp. (°C) | 19,4 | 19,6 | 18,1 | 15,2 | 13,5 | 9,6 | 8,6 | 9,5 | 11,7 | 14,2 | 16,0 | 18,3 | 14,4 |
| gem. regenval (mm) | 136 | 130 | 151 | 128 | 110 | 127 | 70 | 92 | 69 | 88 | 102 | 73 | 1277 |
| gem. dag. zon (uren) | 7,2 | 6,7 | 6,4 | 6,3 | 5,9 | 5,4 | 6,3 | 7,0 | 7,2 | 7,3 | 7,7 | 7,6 | 6,8 |

*Gemiddelde over 1971-2000, bureau of meteorology*

muziek tot en met de verlopen hotels, waar aangeschoten groepjes hartstochtelijk (vals) meezingen aan de karaokebar. Disco's met stampende dance, hippe nachtclubs, zwoele bars met livemuziek, obscure tentjes met strippers, cafés voor dragqueens of rugbyfans; Sydney heeft het allemaal. Oxford Street en Kings Cross staan bekend om hun talloze mogelijkheden. Net zoals bij de restaurants en hotels is het ondoenlijk om een toptien te geven. Het beste is om zelf de deur uit te gaan en je aan te sluiten bij de Sydneysiders die waar dan ook een biertje pakken. *Have fun, mate!*

Een paar websites om je wegwijs te maken:
www.whats-on-in-sydney.com.au
www.pubclub.com.pubjournals/sydney.htm
www.sydneypubguide.net
www.spin.net.au/nightlife/sydney
www.clubvibes.com/index.asp?city=56

## HET WEER

Sydney ligt op het zuidelijk halfrond en deze ligging heeft uiteraard grote invloed op de seizoenen. Die zijn omgekeerd. Als het in Nederland zomert, dan is hier de koele periode die als winter door het leven gaat. Hoewel, van vorst hebben ze in Sydney geen weet. Het heeft de laatste 200 jaar een keer gesneeuwd. Op 27 juni 1836 lag er ruim 2 cm in de straten. 'Het was grappig om te zien hoe verbaasd de bewoners keken naar deze onverwachte bezoeker,' schreef de *Sydney Morning Herald* de dag erop.

Het klimaat in Sydney laat zich het best omschrijven als zonnig. Elk jaar telt 300 dagen waarop de zon schijnt, al is het maar een uurtje. En gemiddeld schijnt de zon een uur of zeven per dag.

De neerslag is hoog. Jaarlijks valt er ruim 1200 mm, dat is bijna zeventig procent meer dan in Nederland. De regen is wel vaak van korte duur; de buien hebben een tropisch karakter, hoewel er ook dagen zijn dat het de hele dag motregent. De kans daarop is het grootst in de zomer.

In de winter wordt het niet echt koud, bovendien valt er dan minder neerslag en is er naar verhouding veel zon. Wat temperatuur betreft lijkt het in Sydney op een slechte zomer in Nederland, maar dan wel met een boel zon erbij.

Sydney ligt op bijna 34 graden zuiderbreedte, ongeveer even dicht bij de evenaar als bijvoorbeeld Casablanca in Marokko. De zon gaat in de zomer iets na acht uur onder (Sydney kent zomertijd). In de winter is het voor vijven al donker.

## TIJD

Sydney ligt in de *Eastern Australian Standard Time*. Van grofweg eind oktober tot eind maart is er zomertijd. Veelal verspringt de tijd op dezelfde dag als in Nederland. Van oktober tot april is er tien uur tijdverschil met Nederland, van april tot oktober is het tijdverschil acht uur. Veelal worden de tijden genoteerd in de am- en de pm-notatie, vooral in dienstregelingen. Vaak zijn de tijden na het middaguur dan vetgedrukt.

## FEESTDAGEN

Australië is een christelijk land, maar de feestdagen wijken een beetje af van wat in West-Europa gebruikelijk is. Een belangrijke dag waarop alles is gesloten in Sydney (en heel Australië) is Goede Vrijdag, de vrijdag voor Pasen. De meeste musea en informatiecentra zijn het hele jaar open en sluiten alleen op Goede Vrijdag en eerste kerstdag.

Daarnaast kent Sydney enige feestdagen die bijzonder zijn voor Australië. De dagen kunnen van staat tot staat en van jaar tot jaar variëren.

- 1 januari, **Nieuwjaarsdag**. Als 1 januari op een zaterdag of zondag valt, dan is 2 of 3 januari een vrije dag.
- 26 januari, **Australia Day**. De nationale feestag van Australië waarop de aankomst van de Eerste Vloot in 1788 wordt herdacht.

- Eerste weekeinde van maart, **Mardi Gras** weekeinde met een optocht door de stad.
- 17 maart, **Sint Patricks Day**. Een Ierse feestdag die bescheiden wordt gevierd in Sydney.
- 25 april, **ANZAC Day**. De dag waarop het Australian en New Zeeland Army Corps wordt herdacht met een bijeenkomst in het ochtendgloren en veelal een optocht van veteranen naar het ANZAC Memorial bij Hyde Park.
- Ergens in april, **Good Friday**. Bijna alles is gesloten. Veelal wordt deze dag gebruikt voor het Good Friday Appeal. Er wordt gecollecteerd voor een groot ziekenhuis.
- **Eerste en tweede paasdag** zijn ook feestdagen, maar minder opvallend dan Goede Vrijdag.
- Tweede maandag van juni, **Queens Birthday**. Het staatshoofd van Australië is koningin Elizabeth II en zij is helemaal niet in juni jarig. Ze viert haar verjaardag op 21 april; in 2006 werd ze 80 jaar. Om onduidelijke redenen wordt haar verjaardag in bijna heel Australië dus op de tweede maandag in juni gevierd. De keuze voor een maandag is puur praktisch. Dan is er een weekeinde van drie dagen.
- Eerste maandag van augustus, **Bank Holiday**
- Eerste maandag van oktober, **Labor Day**
- Eerste dinsdag van november, **Melbourne Cup Day**, de dag waarop de beroemdste paardenrace van het land wordt gehouden. Heel even, tijdens de race, komt het leven dan tot stilstand.
- 25 december, **Eerste kerstdag**
- 26 december, **Boxing Day**
- 31 december, **New Years Eve**

## MEDIA

Liefhebbers van het (wereld)nieuws komen in Sydney niets tekort. De Australiërs hebben een aantal fatsoenlijke kranten en tv-programma's. Wie op zijn of haar hotelkamer de tv aanzet, stuit natuurlijk op de onvermijdelijke commerciële tv-stations, die elk programma om de zoveel minuten hinderlijk onderbreken met reclame. Maar wie goed zapt, kan nog enige kwaliteit tegenkomen.

De grootste publieke zender is de ABC (de Australian Broadcasting Corporation), de Australische NOS. De ABC is in het hele land te ontvangen. Het hoofdjour-

naal is om 7 uur 's avonds, gevolgd door een nieuws- en actualiteitenprogramma. De ABC kent daarnaast veel (Britse) series en eigen dramaproducties.

Het kleine broertje in het Australische omroepland is de publieke zender SBS (Special Broadcasting Service). De Australische publieke zender SBS richt zich op de migranten en heeft 's ochtends journaals in onder meer het Frans, Duits, Italiaans en Russisch. Om 18.30 en 21.30 uur informeert het SBS World News Australia over de ontwikkelingen in de wereld. SBS zendt verder veel (Europees) voetbal uit en het Eurovisie Songfestival. Het station is een liefhebber van de buitenlandse film. Wees dus niet verrast als je opeens een Nederlandse film ziet en hoort, compleet met Engelse ondertitels.

Gratis te ontvangen zenders zijn verder de commerciële stations Seven, Nine en Ten. Deze zenders hebben grote kijkhits, zoals Big Brother en Dancing with the Stars. En verder zenden ze heel veel sport uit: rugby, cricket, Australisch voetbal, zwemmen en de Olympische Spelen. Maar wees gewaarschuwd: na elk doelpunt of na elk hoogtepunt komt er een reclameblok. Een speelfilm duurt op deze zenders twee keer zo lang als normaal. Na elke zes of zeven minuten wordt de film onderbroken door commercials.

Net zoals de Amerikanen houden de Australiërs van *talkback radio*: op de radio vind je zenders, waar onophoudelijk wordt gepraat en getelefoneerd (*2GB* op 873 AM en *2UE* op 954 AM). Verder heb je een keur aan muziekstations, van klassiek (*ABC Classic FM*) tot rock (*Triple M* op 104.9 FM) en van hits (*One FM* op 96.1 FM) tot country en blues (*Kick AM* op 1269 AM).

Een krant bij het ontbijt? Geen probleem. In Sydney is de *Sydney Morning Herald* een gerespecteerde kwaliteitskrant, hoewel de krant af en toe populistische trekjes kent. Verder kun je in heel Australië *The Australian* kopen, een serieuze, ietwat behoudende krant, te vergelijken met *NRC Handelsblad*.

Liefhebbers van grote koppen, grote foto's en weinig diepgang pakken *The Daily Telegraph* en op zondag *The Sun-Herald* en de *Sunday Telegraph*. Prima geschikt om gedachteloos door te bladeren bij een café latte.

Alle kranten zijn links en rechts in supermarkten, tabakszaken en kiosken te koop. Voor het geld hoef je het niet te laten. Een krant kost tussen de 1 en 1,20 Au$, zaterdags iets meer.

# Register